Argraffiad cyntaf: 2023
© Hawlfraint Cwmni Cara Cyf. a'r awduron unigol, 2023

Lluniau: Mari Gwenllian (HIWTI)
Cynllun y clawr a'r dylunio: Tanwen Haf

Rhif llyfr rhyngwladol: 978-1-39995-767-0

Dymuna'r cyhoeddwyr gydnabod
cymorth ariannol Cyngor Llyfrau Cymru

Argraffwyd gan Y Lolfa Cyf.
Cyhoeddwyd gan Cara
e-bost: cylchgrawncara@gmail.com
gwefan: www.cara.cymru

MENO POSITIF

Cara dy hun drwy'r Newid Mawr

Rhagair gan Emma Walford

www.cara.cymru

CYNNWYS

Cyflwyniad

Tîm golygyddol *Cara*

Mae'r menopos yn dal i fod yn bwnc tabŵ. Ond pam? Pam nad yw'r menopos yn cael ei drafod yn naturiol? A pham nad oes cyfrol wedi bod yn y Gymraeg hyd yn hyn sy'n rhoi gwybodaeth am y pwnc ac yn rhannu profiadau menywod menoposaidd? Wel, rydyn ni'n benderfynol o newid y sefyllfa, ac mae pethau ar fin newid!

Siarad, siarad, siarad – dyna sy'n hollbwysig! Mae canran uchel o achosion o hunanladdiad yn digwydd ymysg menywod rhwng 45 a 49 oed, felly mae siarad am broblemau yn gallu achub bywydau. Mae'n rhaid cael trafodaethau o fewn tyrau ifori'r byd meddygol yn ogystal â rhwng menywod sy'n cael paned mewn caffi, er mwyn mynd i'r afael â'r Newid Mawr, sy'n effeithio ar hanner poblogaeth y byd.

Dyma gyfnod o newid corfforol, ac o'r herwydd, newid meddyliol hefyd. Dyma'r 'change', y Newid, ac mae'r newid yma mor amrywiol â lliw gwallt neu liw croen, ac yn effeithio ar bob menyw mewn ffordd sy'n unigryw i bob unigolyn. Does dim un patrwm rheolaidd i bawb, dim un seis sy'n ffitio pawb, dim un adeg benodol lle mae pawb yn cael eu heffeithio unwaith maen nhw'n cyrraedd rhyw oed arbennig. Byddai hynny dipyn yn haws!

Y Newid – does dim rhaid iddo fod yn newid negyddol. Beth am ddechrau gyda newid agwedd a dweud fod cyfnod y menopos yn newid er gwell? Yn ddechrau newydd? Yn gyfle i wneud newidiadau positif? Mae menywod ôl-fenoposaidd mewn rhai diwylliannau o gwmpas y byd yn dathlu'r cyfnod newydd yma, ac maen nhw'n cael eu derbyn yn well mewn cymdeithas sy'n dueddol o fod yn batriarchaidd, ac yn cael gwell statws o fewn eu cymunedau.

Gyda thrafodaeth fwy agored, bydd y pwnc yn dod yn fwy blaenllaw. Mae'r drafodaeth wedi dechrau datblygu'n araf dros y blynyddoedd diwethaf, ac mae hyn yn cael ei adlewyrchu yn yr arolygon barn niferus, mewn rhaglenni teledu a radio, ac mewn podlediadau a llyfrau Saesneg. Ond mae angen cael mwy o adnoddau yn y Gymraeg, a gobeithio y bydd y gyfrol hon yn dechrau'r drafodaeth yng Nghymru ac yn dangos bod newid ar droed.

A sôn am lyfrau, beth am sgwennu a chyhoeddi mwy o nofelau, yn ogystal â mwy o lyfrau ffeithiol, i drafod y menopos ymhellach? Mae cyhoeddwyr o bosib wedi bod yn canolbwyntio'n ormodol ar oedolion ifanc, ac er bod hynny'n wych o beth, rhaid peidio anghofio am fenywod canol oed a menywod hŷn sy'n haeddu cael eu portreadu fel arwresau! Mae cwmni cyhoeddi HarperCollins wedi galw am nofelau o fath newydd – y *menopause thriller* – a fydd yn cyflwyno menywod menoposaidd, aeddfed, dewr, clyfar a phrofiadol fel prif gymeriadau. Ymlaen, ddwedwn ni!

Mae'r sylw diweddar wedi arwain at ymchwil i driniaethau newydd ar gyfer effeithiau'r menopos. Un enghraifft o hyn yw'r ymchwil sy'n edrych ar effaith y lleihad mewn lefelau oestrogen ar yr ymennydd, gan ganfod nad triniaeth hormonaidd yw'r feddyginiaeth orau ond meddyginiaeth sy'n gwella rhan benodol o'r ymennydd; mae gwaith ymchwil arall yn edrych ar beth sy'n achosi problemau cwsg yn ystod y menopos; a gwaith gan Gymdeithas Menopos Prydain yn archwilio effeithiau testosteron. Mae ymchwil hefyd yn dangos bod bwyta deiet planhigion yn bennaf (*plant-based diet*), sy'n isel mewn braster ac yn defnyddio soi, yn gallu cael yr un effaith ag HRT wrth drin pyliau poeth. A rhaid edrych ymlaen yn eiddgar at ddarganfyddiadau ymchwil sy'n ymwneud â'r menopos ac Alzheimer's, a'r ffaith y gall cymryd HRT yn gynnar ar ddechrau'r menopos leihau'r risg o ddatblygu'r clefyd yn nes ymlaen.

Ar ddechrau 2023 fe wnaeth cylchgrawn *Cara* gynnal Arolwg Mawr y Menopos ac mae'r ffaith i'r ymateb i hwnnw fod mor gadarnhaol yn dangos bod y stigma ynglŷn â rhannu profiadau a thrafod effeithiau'r menopos yn dechrau cilio, a phobl yn gweld gwerth mewn bod yn fwy agored am eu symptomau. Roedd nifer fawr o bethau positif yn yr arolwg, a menywod ar y cyfan yn dweud bod y menopos, er ei fod yn gyfnod anodd, yn gorfforol ac yn feddyliol, yn rhywbeth y dylid ei ystyried yn rhan naturiol o gylch bywyd a bod triniaeth yn gallu cyfoethogi ein safon byw o ddydd i ddydd.

Diolch o galon i bawb sydd wedi bod yn rhan o'r gyfrol. Cyfrol yw hon sy'n rhoi gwybodaeth, sy'n rhannu straeon personol, emosiynol, ac yn cynnig cynghorion ar sut i ddelio â'r menopos. Bu pawb mor gefnogol pan ofynnon ni iddyn nhw gyfrannu, ac roedd eu geiriau cadarnhaol am gyfrol o'r fath yn gwneud i ni deimlo ei bod hi'n werth ei chyhoeddi. Mae'r gyfrol hon yn sicr yn torri tir newydd, arloesol yn y Gymraeg.

Rhagair

Emma Walford

Y menopos? Doedd gen i ddim syniad amdano fo. Yn sicr, do'n i erioed wedi trafod y peth. Felly pan ddechreuodd symptomau oedd yn newydd i mi fy mlino a'm poeni, ro'n i'n hynod o bryderus. Fel rhai o'r menywod eraill sy'n rhannu eu profiadau rhwng cloriau'r gyfrol hon, ro'n i'n credu fy mod i'n lot, LOT rhy ifanc am y menopos, a dyna hefyd oedd barn y meddyg.

Mae Dr Llinos Roberts yn dweud yn ei phennod hi mai dim ond wrth edrych yn ôl y gall rhywun wybod i sicrwydd bod y menopos wedi pasio. Ond sut ydych chi'n gwybod ei fod wedi dechrau, eich bod yn ei ganol, neu eich bod ar y trothwy? Dwi'n gwybod erbyn hyn, do'n i ddim yn y menopos ei hunan pan ddechreuodd y diffyg cwsg, y gorbryder a'r iselder, heb sôn am y cant a mil o symptomau eraill! Ond ar y pryd, pan ddaeth y niwl mawr oedd yn fy ngwneud i'n anghofus gan foddi fy holl feddyliau a'm gwneud yn ddryslyd, ro'n i'n ofni bod yna rywbeth mawr yn bod. Do'n i ddim yn teimlo fel fi fy hunan. Roedd rhywbeth ar goll. Ro'n i wedi colli 'fi'.

Fe ddaeth popeth i'r pen ym mis Ebrill 2021 ar ôl cael gwybod bod rhaglen fyw o *Priodas Pum Mil* wedi cael ei chomisiynu ar gyfer mis Gorffennaf. Dwi wedi bod yn cyflwyno rhaglenni i S4C ers dros ugain mlynedd a nifer o'r rhain yn rhaglenni byw, ond ro'n i'n gwybod bod rhywbeth wedi newid yndda i.

Roedd y gorbryder yn annioddefol, y niwl yn y pen yn mygu fy hunanhyder, a'r meddyliau dryslyd yn boddi'r cof. Dwi'n caru fy ngwaith gymaint ac yn rhoi cant y cant i bopeth dwi'n ei wneud, ond roedd yr holl symptomau estron wedi dwyn fy mwynhad ac yn bygwth fy atal rhag gwneud fy ngorau. Felly roedd yn rhaid i mi wneud rhywbeth am y sefyllfa.

Yn union fel mae Dr Jayne Forrester-Paton yn ei ddweud yn y llyfr hwn, mae pŵer mewn gwybodaeth, a dod ar draws trafodaethau ar y cyfryngau cymdeithasol am y perimenopos wnaeth i mi ddechrau holi, tybed ai hyn oedd yn effeithio arna i? Gyda phob sgwrs agored ro'n i'n dyst iddi drwy sgrin fach y ffôn ganol nos, pob postiad bach gonest siâp sgwâr, mi wnes i ddechrau teimlo rhyddhad o weld nid yn unig eglurhad o'r symptomau, ond yn bwysicach, bod yna ffyrdd o'u trin. Uwchlaw popeth arall, ro'n i'n teimlo'n llai ynysig. Roedd fel petai llaw garedig yn torri drwy'r niwl yn barod i'm tywys ar hyd taith arall.

Arweiniodd y trywydd hwnnw ata i'n mynd yn ôl at y meddyg, a dechrau ar driniaeth HRT, ac arweiniodd hefyd ata i'n rhannu fy mhrofiadau ag eraill. Dwi'n berson preifat iawn, ond ar bodlediad 'Digon' Non Parry mi wnes i sôn fy mod wedi dechrau ar feddyginiaeth a chefais ymateb anhygoel, gyda nifer yn cysylltu ar ôl gwrando yn dweud bod y sgwrs wedi eu hannog nhw i fynd at y meddyg. Digwyddodd yr un peth ar ôl i mi ddweud pwt ar y newyddion i godi ymwybyddiaeth am y perimenopos. Gan taw drwy wrando ar ferched yn siarad yn onest ar y cyfryngau cymdeithasol am eu straeon nhw y gwnes innau ddysgu, a chael yr hyder i fynd i siarad gyda fy meddyg fy hun, mi roeddwn i'n teimlo rhywfaint o gyfrifoldeb i rannu fy mhrofiadau innau hefyd.

Fel sy'n dod yn amlwg drwy'r gyfrol hon, dydy HRT yn sicr ddim i bawb. Dwi'n cytuno'n llwyr â Sara Penrhyn Jones pan mae hithau'n dweud bod y menopos gymaint yn fwy na thrafodaeth am fanteision ac anfanteision HRT, ac mae'r llyfr cyfoethog hwn yn gipolwg ar dapestri cywrain, cymhleth, hardd, bregus, pwerus a grymus y menopos.

Dyma'r gyfrol gyntaf o'i math yn y Gymraeg, a dwi'n edymgu'n fawr y menywod hynny sydd wedi rhannu pob math o bethau yn y tudalennau nesaf. Yma, gosodir y menopos o dan y chwyddwydr, gan ennyn chwilfrydedd drwy'r ffeithiau a rennir, cydymdeimlad drwy'r straeon a adroddir, a gan gyfoethogi ein dealltwriaeth o'r cyfnod hwn ym mywydau menywod, cyfnod sydd mor unigryw i bob un ohonom.

Ond er bod profiad pawb yn wahanol, mae yna linynnau tebyg sy'n ein cysylltu ni i gyd â'n gilydd. Mae'n unigryw, ydy, ond does dim rhaid iddo fod yn unig. Mae perthnasau, teuluoedd, a chymdeithas oll â'u rôl i'w chwarae, ac mae'r cyfraniadau hyn yn annog deialog agored er mwyn chwalu'r stigma a'r rhwystrau sy'n aml yn dod mor dynn wrth sodlau'r menopos.

Nid llyfr i ni ferched yn unig ydy'r llyfr hwn felly, mae'n gyfrol i'w rhannu gyda'r dynion yn ein bywydau er mwyn eu haddysgu a'u helpu i ddeall beth sydd ei angen arnon ni er mwyn i ni allu byw bywyd yn y ffordd orau bosib. Mae'n angenrheidiol hefyd i'r genhedlaeth nesaf fod yn fwy hyddysg am y cyfnod fel ein bod yn medru parhau i wella ansawdd eu bywydau. Felly dyma awgrymu'n garedig – peidiwch â chuddio'r gyfrol yma yn y tŷ bach lawr grisie, na chwaith ei stwffio ar silff, ond ei harddangos yn falch, gan sicrhau bod y menopos yn cael ei normaleiddio a'i gofleidio fel rhan annatod o fywyd.

O bennod i bennod, cewch eich tywys drwy'r heriau a'r bendithion, gyda darluniau arbennig Mari Gwenllian yn dehongli a dathlu'r profiadau. Gallwch ddarllen y gyfrol yn araf bach bob hyn a hyn a chnoi cil ar y pwyntiau, neu fyfyrio'n ddwysach ar ambell elfen. Gan ddibynnu ar eich hwyliau a'ch amserlen, bydd y casgliad hwn yn llawlyfr y gallwch droi ato ar unrhyw adeg, a byddwch heb os yn darganfod rhywbeth newydd a fydd yn helpu i oleuo eich trywydd personol chi.

Yr alwad drwy'r cyfan yw am i ni garu ein hunain drwy'r cyfnod hwn. Dwi'n gwybod cystal â neb pa mor heriol mae hynny'n gallu bod. Ond mae'r tudalennau nesaf yn fy atgoffa o ba mor bwysig yw'r ymdrech i wneud hynny. Mae 'na wahoddiad yma i bob un ohonom fod yn menopositif a phan fydd y cymylau duon yn dechrau casglu ar y gorwel, dwi'n gobeithio y gwnewch chi godi'r llyfr a chael eich atgoffa hefyd pa mor wych ydych chi, pa mor gryf ydych chi a chymaint o ddewrder mae'n ei gymryd i fod yn llysgennad drosoch chi eich hunan. Cadwch y ffydd – drwy droi'r ddalen nesaf byddwch chi'n dod gam yn agosach at wneud yr union beth hwnnw, gan wybod ei fod, heb os, yn rhywbeth i ymfalchïo ynddo.

Cyfranwyr

Emma Walford

Cyflwynwraig a chantores yw Emma Walford sy'n fwyaf adnabyddus fel aelod o'r grwp Eden ac am ei gwaith ar y cyfresi *Priodas Pum Mil* a *Prosiect Pum Mil*. Magwyd hi yn Abergele a bu'n ddisgybl yn Ysgol y Creuddyn, Bae Penrhyn cyn mynychu'r brifysgol yn Swydd Efrog i astudio Drama ac Ieithyddiaeth. Ers ffurfio Eden yn 1996 mae Emma wedi mwynhau gyrfa ddi-dor yn perfformio a chyflwyno ar raglenni a chyfresi amrywiol ar S4C. Yn 2020 enillodd Emma a'i chyd-gyflwynydd Trystan Ellis-Morris wobr BAFTA am y cyflwynwyr gorau, ac yn yr un flwyddyn cychwynnodd eu rhaglen radio sydd i'w chlywed yn fyw bob bore dydd Gwener ar BBC Radio Cymru. Mae Emma bellach yn byw yn y Bont-faen gyda'i gŵr Huw a'u plant Anni ac Efan.

Dr Llinos Roberts

Mae Dr Llinos yn feddyg teulu ym meddygfa Cross Hands a'r Tymbl, ac yn ymddiddori mewn iechyd menywod. Mae hi hefyd yn gweithio yng Ngholeg Meddygol Prifysgol Abertawe ac yn arwain yr adran Dysgu yn y Gymuned yno. Mae'n cyfrannu'n rheolaidd i eitemau meddygol ar y radio a'r teledu, ac yn ysgrifennu colofn feddygol ers degawd. Mae hi'n ymgyrchydd brwd dros wella'r ddarpariaeth iechyd yn y Gymraeg.

Dr Jayne Forrester-Paton

Mae'n arbenigwr ar y menopos, yn feddyg teulu ac yn feddyg iechyd rhyw. Mae Dr Jayne yn gweithio o fewn gwasanaeth menopos Bwrdd Iechyd Aneurin Bevan a hi yw sylfaenydd Your Menopause Doctor. Mae ganddi ddau glinig menopos, un yng Nghaerdydd a'r llall ym Mhenarth. Mae hi hefyd yn gydsylfaenydd Rhwydwaith Menopos Cymru.
www.yourmenopausedoctor.co.uk
Instagram: @your.menopause.doctor

Sarah Williams

Mae Sarah yn weithiwr annibynnol ym maes cydraddoldeb, amrywiaeth a chynhwysiant sy'n darparu hyfforddiant a chyngor yn y gweithle ar y menopos. Mae hi hefyd yn datblygu polisi, ac wedi cyfrannu'n ddiweddar at ddatblygu canllawiau'r Sefydliad Safonau Prydeinig ar y menopos. Yn dilyn ei phrofiadau personol o fenopos cemegol a llawfeddygol, datblygodd ddiddordeb yn ymwneud â'r menopos yn y gweithle a chodi ymwybyddiaeth yn y gymuned. Dyma yw ei ffocws fel cyd-sefydlydd y Menopause Inclusion Collective lle mae wedi darparu cymorth cynhwysiant i sawl prosiect, a chyfrannu fel rhanddeiliad i'r adolygiad o ganllawiau NICE (The National Institute for Health and Care Excellence) ar y menopos, a fydd yn cael ei gyhoeddi yn 2023. Gallwch ddod o hyd i Sarah ar un o draethau Sir Benfro, neu'n siarad am y menopos a materion eraill ar Twitter @ SarahLouInclude.

Angharad Llwyd Beech

Actores a chyflwynydd yw Angharad Llwyd sy'n fwyaf adnabyddus am bortreadu Sophie yn y gyfres sebon *Rownd a Rownd*. Daw Angharad yn wreiddiol o bentre Prion yn ardal Dinbych a bu'n ddisgybl yn Ysgol Glan Clwyd, Llanelwy. Mae hi bellach yn byw ym mhentref Llanllechid gyda'i gŵr Dafydd a'u dau o blant, Gwenno a Gruff. Mae Gwenno hefyd yn ymddangos ar *Rownd a Rownd* yn rhan Mair Phillips, merch Sophie.

Dr Robin Andrews

Mae Dr Robin Andrews yn ymchwilydd PhD ym Mhrifysgol
De Cymru, yn arbenigo ar hyn o bryd ar seicoleg ac iechyd
menywod. Un o'i phrosiectau yw gwerthuso deunydd ar-lein sy'n
edrych ar symptomau'r menopos.

Elin Bartlett

Magwyd Elin yng ngogledd Cymru, ond mae'n byw yng
Nghaerdydd bellach, lle mae'n astudio meddygaeth. Ar ôl
graddio, mae'n gobeithio dod yn feddyg teulu gyda diddordeb
arbennig mewn iechyd menywod. Mae'n paratoi cyfres o
bodlediadau, Paid Ymddiheuro, ar wahanol agweddau o iechyd
menywod, ac yn ymchwilio i ddefnydd HRT ym meddygfeydd
teuluol Caerdydd. Ei gobaith yw ymchwilio i ddarpariaeth addysg
ar y menopos o fewn ysgolion meddygol. Byddai'n hapus i bobl
gysylltu â hi ar BartlettET@cardiff.ac.uk. Pan nad yw'n astudio
mae'n mwynhau canu, cyfeilio a chystadlu gyda Chôr Aelwyd y
Waun Ddyfal, a chadw gwenyn gyda'i thad pan mae'n cael cyfle i
ddychwelyd adre.

Dr Liza Thomas-Emrus

Mae Dr Liza Thomas-Emrus yn feddyg teulu ac yn arwain y
Gwasanaeth Gwella Llesiant ym Mwrdd Iechyd Prifysgol Cwm
Taf Morgannwg. Mae hi'n arbenigo mewn meddygaeth 'ffordd
o fyw' ac yn trin ei chleifion mewn dull holistig. Mae hi wedi ei
hyfforddi i greu myfyrdodau ar gyfer cyflyrau iechyd ac yn eu
huwchlwytho i sianel YouTube *Revive, Prescribed Meditation*. Nod
Dr Liza yw grymuso mwy o bobl i wella eu hiechyd a'u llesiant
trwy ymarfer myfyrdod.

Heulwen Ann Davies

Mae Heulwen yn byw ym Mro Ddyfi gyda'i gŵr Gareth a'u merch Elsi Dyfi. Bu'n teithio Cymru a'r byd fel cynhyrchydd a chyfarwyddwr teledu a radio, cyn dychwelyd i Fachynlleth a dechrau gyrfa fel rheolwr ac ymgynghorydd marchnata a digwyddiadau. Yn 2017, sefydlodd www.mamcymru.wales, ac yn 2020 dechreuodd y cwmni marchnata Llais Cymru.

Carolyn Harris AS

Magwyd Carolyn yn ei hetholaeth, Dwyrain Abertawe, ac ar ôl graddio o Brifysgol Abertawe helpodd i sefydlu dwy ganolfan i bobl ifanc ddifreintiedig. Bu'n gweithio i elusennau ac yna i'r Aelod Seneddol Siân James, cyn dod yn AS ei hun yn 2015. Mae wedi dal nifer o swyddi ar y meinciau blaen ac mae'n aelod blaenllaw o bwyllgorau niferus, gan gynnwys Tasglu Menopos Llywodraeth Prydain gan ymgyrchu'n frwd dros hawliau menywod yn ystod cyfnod y menopos. Achos arall sy'n bwysig iddi yw taclo tlodi bwyd, a sicrhau bod teuluoedd yn derbyn hamperi bwyd adeg y Nadolig a'r Pasg ac yn cael mynediad at glybiau cinio adeg gwyliau'r ysgol. Mae Carolyn a'i theulu yn dal i fyw yn ei hetholaeth.

Eluned Morgan AS

Cafodd Eluned Morgan ei geni yn Nhrelái, Caerdydd a bu'n ddisgybl yn Ysgol Gyfun Gymraeg Glantaf. Enillodd ysgoloriaeth i Goleg Iwerydd cyn ennill gradd mewn Astudiaethau Ewropeaidd o Brifysgol Hull, ac ar ôl graddio bu'n gweithio fel ymchwilydd i S4C, Agenda a'r BBC. Dechreuodd gyrfa wleidyddol Eluned yn 27 oed pan gafodd ei hethol fel aelod ieuengaf Senedd Ewrop yn 1994, a chynrychiolodd Gymru ar ran y Blaid Lafur yno tan 2009. Cafodd ei gwneud yn aelod o Dŷ'r Arglwyddi yn 2011. Etholwyd hi i'r Cynulliad Cenedlaethol yn 2016 fel aelod rhanbarthol dros y Canolbarth a'r Gorllewin, a'i phenodi yn Weinidog Iechyd a Gwasanaethau Cymdeithasol yn 2021.

Amanda James

Daw Amanda o Sir Benfro yn wreiddiol ond mae bellach yn byw yn ardal Pen-y-bont ar Ogwr ac yn rhedeg cwmni Gweni. Mae hi wrth ei bodd yn braslunio, mynd â'r cŵn am dro, cloncan, coginio, darllen, peintio, rhedeg, ac ymlacio o flaen y tân wrth losgi un o'i chanhwyllau.

Llinos Lloyd

Daw Llinos o deulu amlwg yn ardal Aberaeron a hi bellach yw cyfarwyddwr cwmni'r teulu, Lloyd Motors, yn y dre. Mae'n fam i dri o fechgyn.

Sara Penrhyn Jones

Mae Sara yn wneuthurwr ffilm, gan arbenigo mewn ffilmiau dogfen, ac erbyn hyn mae'n darlithio ym Mhrifysgol Caerfaddon. Mae ganddi ddiddordeb arbennig yn yr amgylchedd, ac yn ddiweddar bu'n gwneud gwaith ymchwil ar fenywod hŷn a'u profiad o'r menopos, rhyw a chydsynio, sydd i'w gyhoeddi yng nghylchgrawn *O'r Pedwar Gwynt*.

Elin Prydderch

Mae Elin yn gwnselydd, yn faethegydd ers 25 mlynedd, ac yn adweithegydd sy'n helpu cyplau yn ystod y menopos. Daw o Ddyffryn Nantlle yn wreiddiol ond mae'n byw yng Nghaerdydd ers blynyddoedd ac yn fam sengl i dri o blant. Mae'n rhedeg nifer o weithdai ar gadw'n iach yn ystod y menopos.

Heulwen Jones-Griffiths

Mae Heulwen yn 51 oed, ac yn byw yn y Groeslon, ger Caernarfon, gyda'i gŵr, tomen o anifeiliaid anwes, a'i merch (yr unig un sy'n dal adref bellach). Mae hi'n falch iawn o fod wedi magu pedwar o blant yn Gymry ac wrth ei bodd iddi ddod yn nain am y tro cyntaf yn ddiweddar. Mae'n gweithio mewn ysgol gynradd leol, ac yn mwynhau'r gwaith yno.

Mari Ellis Dunning

Mae Mari yn ymchwilydd, yn sgwennwr ac yn fardd sy'n byw yn Aberystwyth. Astudiodd gwrs Meistr mewn Ysgrifennu Creadigol ac mae wedi cyhoeddi nifer o lyfrau. Roedd ei chyfrol gyntaf o farddoniaeth, *Salacia*, ar restr fer Llyfr y Flwyddyn 2019 a chyhoeddodd ei hail gyfrol o gerddi, *Pearl and Bone*, yn 2022. Ar hyn o bryd mae'n gweithio ar draethawd ar gyfer llyfr ynglŷn â datganoli yng Nghymru, sy'n sôn am y diffyg cydraddoldeb rhwng y rhywiau yn y Gwasanaeth Iechyd ac yn edrych ar y menopos fel rhan o hynny.

Bethan Gwanas

Awdures o'r Brithdir ger Dolgellau. Graddiodd Bethan mewn Ffrangeg yn Aberystwyth cyn gwneud amryfal swyddi, gan gynnwys gweithio gyda'r VSO yn Nigeria, dysgu plant Cymru sut i ganŵio a dringo yng Nglan-llyn a chyflwyno rhaglenni garddio a theithio. Erbyn hyn, mae wedi cyhoeddi dros 50 o lyfrau amrywiol ar gyfer plant, pobl ifanc, oedolion iaith gyntaf a dysgwyr. Mae wrth ei bodd efo cŵn, coginio a beicio, ac yn casáu gwaith tŷ.

Menai Lloyd Pitts

Mae Menai yn ymchwilydd, yn gydlynydd cynhyrchu ac yn awdur llawrydd o Gaernarfon, sydd wedi sgwennu sgetsys comedi i amryw o raglenni teledu, sgriptiau ar gyfer *Rownd a Rownd*, ac erthyglau i BBC Cymru Fyw. Mae hefyd wedi sgwennu a pherfformio cyfres o ffilmiau byr fel y cymeriad Mennapos, sef sgetsys byrion am ddynes yn mynd drwy'r menopos, ar gyfer Adran Gomedi S4C – mae'r ffilmiau i'w gweld ar YouTube.

Hormonau a thriniaethau

Dr Llinos Roberts

Mae angen i ni ddiolch i'r Groegiaid am darddiad y term 'menopos' – *pausis* yn cyfeirio at orffen neu ddiwedd, a *mēn* yn golygu 'mis' – hynny yw bod y mislif yn dod i ben. Ac er bod cymaint mwy i'r menopos na hynny, dyma mewn gwirionedd ydy prif nodwedd y cyfnod. Yn feddygol rydyn ni'n ystyried bod rhywun wedi bod drwy'r menopos os nad yw wedi cael mislif ers blwyddyn, felly dim ond wrth edrych yn ôl y gall rhywun wybod i sicrwydd bod y menopos wedi pasio. Ond yn aml mae menywod yn sylwi ar newidiadau amrywiol yn y cyfnod sy'n arwain at y menopos – cyfnod a elwir yn perimenopos, lle mae lefelau'r hormonau yn dechrau newid, a gall hyn arwain at symptomau eang.

Er bod rhai menywod yn pasio drwy'r menopos heb fawr o drafferth, i eraill mae'r symptomau yn gallu cael effaith enfawr ar eu bywydau. Mae'n debygol bod tua 75% o fenywod yn datblygu rhyw fath o symptomau sydd ynghlwm â'r menopos, a 25% yn datblygu symptomau difrifol. Roedd arolwg ym Mhrydain yn 2016 yn awgrymu bod un o bob pedair menyw wedi ystyried gadael ei swydd oherwydd effaith symptomau'r menopos ar ei gwaith, a dyma pam mae ymgyrchoedd bellach yn annog cyflogwyr i ymrwymo i gefnogi menywod drwy'r cyfnod yma.

Does dim dwywaith bod hwn yn bwnc pwysig, ac un sydd heb gael y sylw haeddiannol yn y gorffennol. Mae cymaint mwy o ymwybyddiaeth am y menopos bellach, ond mae menywod wedi bod yn byw gyda'r menopos erioed, felly pam mai dim ond yn ddiweddar rydyn ni wedi dechrau trafod y pwnc pwysig yma a cheisio lleihau y tabŵ sydd o'i amgylch? Mae'n debyg bod y newid cymdeithasol yn rhannol gyfrifol. Yn gyffredinol mae menywod yn cael plant yn hŷn bellach, ac erbyn cyrraedd oedran y menopos (51 ar gyfartaledd yn y wlad hon) mae nifer helaeth yn jyglo gwaith, magu plant ac efallai hefyd yn gofalu am rieni hŷn. Mae'r menywod yma'n gwneud cyfraniadau cymdeithasol hanfodol ond eto, efallai ddim yn derbyn y gefnogaeth angenrheidiol dros y cyfnod pwysig yma yn eu bywydau.

Symptomau

Er mwyn deall effaith y menopos ar y corff a beth sy'n achosi'r symptomau, mae angen i ni ystyried y newidiadau sy'n digwydd i lefelau hormonau penodol yn y corff. Mae merched yn cael eu geni gyda nifer penodol o ffoliclau (*follicles* – sachau bach llawn hylif sy'n cynnwys wyau) yn yr ofarïau, ac ar ôl dechrau'r mislif mae rhai o'r ffoliclau yma'n cael eu defnyddio bob mis er mwyn rhyddhau wy (ofiwleiddio). Does gan y corff ddim y gallu i greu ffoliclau newydd, felly wrth i'r nifer leihau mae hyn yn arwain at newid yn lefel yr hormonau ac mae'r ofarïau yn cynhyrchu llai o oestrogen, progestogen a thestosteron. Mae'r broses fymryn yn gymhleth ac yn dibynnu ar y cyswllt agos rhwng yr ofarïau a'r ymennydd, ond yn ei hanfod mae lefel yr hormonau yma'n lleihau a hyn yn ei dro yn arwain at symptomau'r menopos. O gofio bod y corff wedi arfer â lefelau penodol o'r hormonau yn y cylchrediad ers blynyddoedd does dim rhyfedd bod celloedd y corff yn ymateb i'r newid sylweddol yma, a bod hyn yn gallu arwain at bob math o symptomau amrywiol.

Wrth ystyried symptomau'r menopos, y rhai sy'n dod i'r meddwl amlaf ydy chwysu a phyliau o deimlo'n affwysol o boeth (*hot flushes*), ac er bod y rhain yn symptomau cyffredin rydym bellach yn deall bod symptomau'r perimenopos yn gallu amrywio'n helaeth. Yn aml bydd newid i batrwm y mislif – bydd y gwaedu'n fwy neu yn llai trwm neu yn fwy neu yn llai cyson. Symptomau cyffredin eraill ydy cael trafferth cysgu, poenau yn y cymalau, heintiau dŵr rheolaidd, cur pen, anhawster canolbwyntio neu gofio, teimlo'n isel neu'n orbryderus, tinitws a blinder. Mewn gwirionedd mae'r rhestr yn hynod o eang ac amrywiol, a gyda'r cynnydd mewn ymwybyddiaeth mae nifer fwy o fenywod yn dod i'r feddygfa bellach am gyngor gyda symptomau sydd efallai ddim yn ffitio'r patrwm mwyaf cyffredin. Ond mae cymaint o waith i'w wneud eto, ac er bod nifer o fenywod yn ymwybodol o symptomau 'clasurol' y menopos, efallai na fyddai pawb yn ystyried mai'r menopos oedd yn achosi rhai symptomau llai amlwg.

Trin symptomau yn naturiol

Mae trin symptomau'r menopos yn aml yn ddewis personol ac yn dibynnu ar yr unigolyn – gan fod pawb yn wahanol does dim un ateb sy'n addas ar gyfer pawb ac mae angen trafod opsiynau er mwyn gwneud y dewis sydd yn addas ar gyfer yr unigolyn. Mae nifer yn dewis gwneud newidiadau i'w ffordd o fyw er mwyn helpu i liniaru'r symptomau – ac mae ymchwil yn awgrymu y gall hyn fod yn effeithiol – gan ganolbwyntio ar ddeiet iach a chytbwys, ymarfer corff rheolaidd, datblygu patrwm cwsg effeithiol a lleihau yfed alcohol a chaffîn. Mae nifer fawr yn gweld budd o nofio yn yr awyr agored mewn llynnoedd neu yn y môr, ac yn teimlo bod effaith dŵr oer yn llesol i'r corff a'r ymennydd.

Dylai deiet iach a chytbwys roi digon o faeth, fitaminau a mineralau i'r corff, ond gan fod cymaint ohonom yn byw bywydau prysur mae hi ar adegau'n anodd sicrhau ein bod yn cael y maeth angenrheidiol yn ddyddiol. Mewn sefyllfaoedd fel hyn fe all ychwanegolion fod yn fuddiol – calsiwm, fitamin D, magnesiwm a fitaminau B – er mwyn cadw'r esgyrn yn gryf, gyda rhai astudiaethau yn awgrymu bod sicrhau lefel iach o'r mineralau a'r fitaminau hyn yn gallu helpu i leddfu symptomau'r menopos.

Mae ymchwil hefyd wedi dangos bod Therapi Ymddygiad Gwybyddol (Cognitive Behavioural Therapy – CBT) yn gallu bod yn effeithiol er mwyn lleihau symptomau pyliau poeth. Diben y math yma o therapi ydy siarad drwy'r sefyllfa ac ailhyfforddi'r ymennydd i ymateb mewn ffordd wahanol i symptomau'r pyliau. Mae'n canolbwyntio ar y berthynas sydd rhwng y symptomau corfforol, yr ymateb emosiynol a'n hymddygiad wrth brofi'r symptomau.

Mae rhai meddyginiaethau amgen fel *red clover* a *black cohosh* yn cael eu marchnata ar gyfer symptomau'r menopos ac mae'n bosib eu prynu dros y cownter. Does dim tystiolaeth gref yn dangos bod y rhain yn effeithiol, a gan nad ydy'r meddyginiaethau hyn yn cael eu rheoleiddio does dim posib gwybod i sicrwydd bod pob tabled yn cynnwys yn union yr un lefel o feddyginiaeth. Mae angen nodi hefyd bod meddyginiaethau amgen, er eu bod yn cael eu marchnata fel meddyginiaethau 'naturiol', hefyd yn gallu achosi sgileffeithiau ac yn medru amharu ar feddyginiaethau eraill. Mae'n bwysig felly, os ydych chi'n cymryd meddyginiaeth heb bresgripsiwn, bod eich darparwr iechyd yn ymwybodol o hynny.

TIP

I osgoi pyliau poeth, gwell osgoi stafelloedd cynnes, caffîn, alcohol a bwydydd sbeislyd...

Hormonau

Does dim dwywaith bod HRT yn ddull effeithiol dros ben o liniaru symptomau'r menopos. Fel mae'r enw yn ei awgrymu, mae HRT (Hormone Replacement Therapy) yn rhoi'r hormonau sydd â'u lefelau wedi disgyn yn ôl i'r corff a thrwy wneud hyn yn lleihau'r symptomau. Mae'r cysyniad yn un syml iawn – mae'r driniaeth yn amnewid yr hormonau oedd ar un adeg yn cael eu cynhyrchu'n naturiol gan y corff. Mae HRT yn cynnwys yr hormon oestrogen mewn cyfuniad weithiau gyda phrogestogen (a thestosteron mewn rhai achosion).

Oestrogen

Mae'r hormon hwn yn dod mewn nifer o ffyrdd amrywiol – clwt (*patch*) ar y croen, jel i'w rwbio ar y croen neu dabledi i'w llyncu. Y math mwyaf cyffredin o oestrogen sy'n cael ei ddefnyddio ydy 17-beta-estradiol sydd â'r un strwythur molecylaidd â'r oestrogen sy'n cael ei gynhyrchu'n naturiol gan y corff. Erbyn hyn rydw i'n dueddol o argymell bod menywod yn defnyddio oestrogen sy'n cael ei amsugno drwy'r croen ar ffurf jel neu glwt oherwydd bod llai o sgileffeithiau.

Progestogen

Os nad ydy menyw wedi cael hysterectomi (a bod ganddi groth), yna bydd hefyd angen cymryd progestogen (yn ogystal ag oestrogen). Gall cymryd oestrogen ar ei ben ei hun achosi i leinin y groth fynd yn fwy trwchus a chynyddu'r risg o ganser y groth, ond mae progestogen yn cadw'r leinin yn denau ac yn amddiffyn y groth. Erbyn hyn rydym yn dueddol o ddefnyddio math arbennig o'r hormon sydd yn ymdebygu i'r hormon naturiol y mae'r corff yn ei gynhyrchu. Utrogestan ydy enw'r brand a ddefnyddir yma yng Nghymru. Mae hwn yn dod ar ffurf tabled i'w llyncu neu i'w rhoi yn y fagina. Dull arall o dderbyn progestogen ydy trwy gael coil Mirena yn y groth, ac mae hwn yn rhyddhau'r hormon o fewn y groth yn uniongyrchol.

Testosteron

Mae mwy o bwyslais wedi cael ei roi ar destosteron dros y blynyddoedd diwethaf. Mewn rhai gwledydd mae testosteron yn rhan gwbl naturiol o driniaeth HRT, ond ar hyn o bryd, yma yng Nghymru does dim trwydded i'w ddefnyddio at y diben yma. Serch hynny, mae rhai arbenigwyr a meddygon teulu sy'n ymddiddori yn y menopos yn gallu ei gynnig ar bresgripsiwn. Mae diffyg testosteron yn gallu arwain at symptomau fel blinder neu ddiffyg libido, ac os nad ydy'r symptomau yma'n gwella wrth gymryd oestrogen fe all testosteron gael ei ychwanegu fel jel neu hufen.

HRT

Mae Therapi Adfer Hormonau yn gallu bod yn fuddiol i nifer fawr o fenywod. Dros y blynyddoedd diwethaf mae HRT fel petai wedi cael tipyn o adfywiad ac yn adennill ffydd y byd meddygol a menywod yn gyffredinol. Mae'r diolch am hyn ynghlwm â mwy o waith ymchwil, ynghyd â datblygu mathau newydd o HRT. Mae nifer o wynebau cyfarwydd hefyd wedi bod yn llafar iawn dros hyrwyddo'r driniaeth, a hynny wedi codi ymwybyddiaeth yn gyffredinol. Bellach rydym yn gwybod bod y budd o gymryd HRT yn uwch na'r risgiau yn y rhan helaeth o ddefnyddwyr, felly pam nad oes mwy o fenywod yn dewis ei gymryd? Er bod tua 75% o fenywod sy'n mynd drwy'r menopos yn cyfaddef eu bod yn dioddef symptomau, dim ond tua 10–14% sy'n cymryd HRT. Beth sy'n parhau i atal menywod rhag ei ddefnyddio? Ydy'r diffyg ymwybyddiaeth yn parhau, neu oes lle i awgrymu bod nifer o feddygon yn gyndyn i'w ddechrau os nad oes gan fenywod symptomau 'clasurol' y menopos?

Dwi'n siŵr bod nifer yn cofio'r ymchwil a ddenodd lawer o sylw yn y wasg tua ugain mlynedd yn ôl oedd yn codi amheuon difrifol am HRT a'r cysylltiad gyda chanser y fron. Mae'r ymchwil hwnnw bellach wedi cael ei feirniadu'n chwyrn a dau o'r awduron gwreiddiol wedi ymddiheuro'n ffurfiol am iddyn nhw gamddehongli'r canfyddiadau. Serch hynny, mae hyn wedi gadael ei graith, a nifer fawr o fenywod yn parhau i ofni cymryd HRT ac o'r herwydd yn dioddef symptomau'r menopos yn ddiangen.

Ond mae'r dystiolaeth yn awgrymu bod mwy o fudd o ddechrau cymryd HRT yn gynnar, a hynny yn ystod cyfnod y perimenopos. Yn ogystal â gwella symptomau'r menopos mae HRT hefyd yn lleihau'r risg o ddatblygu osteoporosis, ac mae ymchwil hefyd yn awgrymu ei fod yn lleihau'r risg o ddatblygu cyflyrau eraill fel clefyd y siwgr a chlefyd y galon. I'r rhan fwyaf o fenywod mae'r budd o gymryd HRT yn llawer mwy na'r risg, ond mae hyn yn amrywio rhwng unigolion.

Y risgiau

Efallai mai'r risg sydd fwyaf blaenllaw ym meddyliau menywod ydy'r risg o ganser y fron. Er bod ymchwil yn awgrymu y gall cymryd HRT cyfunol (oestrogen a phrogestogen synthetig) fod yn gysylltiedig â chynnydd bach yn y risg, mae'n bwysig ystyried hyn yn ei gyd-destun. Mae'r risg o ddatblygu canser y fron wrth gymryd HRT yn isel iawn ar y cyfan ac mae ffactorau eraill fel gordewdra yn cynyddu'r risg llawer mwy nag HRT. Os oes hanes o ganser y fron yn y teulu agos mae'n bwysig sgwrsio gyda'r meddyg teulu am y driniaeth. Does dim tystiolaeth gref yn dangos bod hanes o ganser y fron yn y teulu yn cynyddu'r risg o ddatblygu canser y fron drwy gymryd HRT, ond gan fod hwn yn fater pwysig mae trafod gyda'r meddyg teulu mewn sefyllfaoedd tebyg yn hanfodol.

Os ydych chi wedi cael eich effeithio gan geulad gwaed (*blood clots*), problemau gyda'r afu neu feigryn (*migraine*), mae risg isel o geulad gwaed o gymryd oestrogen ar ffurf tabled, ond mae'r risg yn cael ei ddiddymu'n llwyr o'i gymryd ar ffurf clwt neu jel lle mae'r hormon yn cael ei amsugno drwy'r croen.

Mewn rhai achosion mae cymryd HRT yn anaddas, ac enghraifft o hyn fyddai menyw sydd wedi cael diagnosis o ganser y fron a'r profion wedi dangos bod y canser yn ymateb i oestrogen. Mewn achosion fel hyn, neu os nad ydy'r fenyw yn awyddus i gymryd triniaeth hormonau, mae ychydig o opsiynau amrywiol eraill ar gael ar bresgripsiwn er mwyn trin symptomau'r menopos. Mae rhai meddyginiaethau gwrthiselder yn gallu helpu'r corff i reoli'r tymheredd yn fwy effeithiol gan leihau'r pyliau poeth, ac mae meddyginiaethau fel Gabapentin (meddyginiaeth sydd fel arfer yn cael ei defnyddio ar gyfer trin poen nerfol) yn gallu lliniaru symptomau'r menopos ond hefyd yn gallu achosi sgileffeithiau.

Yr hyn sy'n bwysig ydy ein bod ni'n trafod y menopos yn agored heb unrhyw gywilydd. Ydy, mae'n broses gwbl naturiol, ond mae'n gyfnod sydd yn gallu achosi newidiadau sylweddol i fywyd unigolion, ac mae'n hynod bwysig bod hyn yn cael ei gydnabod a'i drafod. Yr her ydy arfogi menywod gyda'r wybodaeth gywir er mwyn iddyn nhw allu gwneud y dewisiadau cywir ar eu cyfer nhw. Rydyn ni i gyd yn unigryw, ac wrth ystyried y menopos mae angen derbyn na fydd y cyfnod yma'n effeithio ar bawb yn yr un modd a bod angen teilwra'r driniaeth yn ôl gofynion yr unigolyn.

"*I actually love being in menopause... I feel older, and I feel settled being older.*"

Angelina Jolie

y meddyg menopos

Dr Jayne Forrester-Paton

Dechreuodd fy angerdd tuag at iechyd menywod yn gynnar yn fy ngyrfa, pan oeddwn i'n dal yn fyfyriwr. Datblygodd fy niddordeb ymhellach pan oeddwn i'n hyfforddi fel meddyg teulu, gan dderbyn hyfforddiant ychwanegol a chymwysterau ym maes iechyd menywod ac iechyd rhyw. Trwy weithio fel meddyg teulu fe ddes i'n ymwybodol o'r diffyg addysg am y menopos a'r bwlch mewn iechyd rhwng y rhywiau. Mae problemau iechyd menywod yn aml yn cael eu diystyru neu ddim yn cael eu hystyried o ddifri.

Mae un astudiaeth ar ôl y llall yn dangos bod menywod yn wynebu canlyniadau israddol i ddynion ym maes gofal iechyd. Ro'n i eisiau newid hyn, a chynnig y ddarpariaeth oedd ei hangen ar fenywod gan wrando ar eu pryderon heb feirniadu na rhagdybio. Fe wnes i sefydlu gwasanaeth menopos fel rhan o'r Gwasanaeth Iechyd Gwladol (GIG) a ddaeth yn llwyddiant a chael ei werthfawrogi'n fawr gan gleifion, ond bu'n rhaid iddo gau oherwydd diffyg cefnogaeth ariannol. Arweiniodd hynny at sefydlu Your Menopause Doctor er mwyn llenwi'r bwlch, ac i sicrhau bod gwasanaeth ar gael i fenywod oedd yn cael trafferthion gyda symptomau'r menopos.

Mae'r menopos yn effeithio ar bawb yn wahanol. Mae nifer fawr o ffactorau, yn gorfforol ac yn feddyliol. Bydd rhai'n cael symptomau ysgafn ac eraill yn dioddef yn ofnadwy, sy'n gallu cael effaith ar eu hiechyd meddwl, eu perthynas bersonol a'u gallu i ymdopi â bywyd yn gyffredinol. Mae pobl yn dod at arbenigwyr menopos am gyngor a chefnogaeth, a byddwn ni'n edrych ar eu symptomau ac ar opsiynau gwahanol ar gyfer triniaethau sy'n addas i'r unigolyn.

Mae menywod yn dod ata i am bob math o resymau. Bydd rhai:

- â hanes meddygol cymhleth;
- wedi dioddef o ganser;
- wedi trio gwahanol driniaethau a'r rheini ddim wedi gweithio;
- wedi dechrau ar y menopos yn ifanc;
- yn awyddus i dderbyn triniaeth flynyddoedd ar ôl i'r menopos dod i ben;
- yn gymysglyd ynglŷn â'u symptomau;
- yn methu deall beth sy'n bod arnyn nhw;
- wedi cael eu gwrthod ar gyfer triniaeth, am amryw o resymau.

Fel arbenigwr bydda i'n treulio amser gyda phob un, yn archwilio eu problemau ac yn trio gwneud synnwyr ohonyn nhw. Bydda i'n cynnig cyngor ar nifer o opsiynau gwahanol ac yn cefnogi'r unigolyn i ddewis y driniaeth sydd fwyaf addas iddi hi.

Y cyfarfod cyntaf

Byddwn ni'n mynd trwy ei stori bersonol, gan gynnwys ei hanes meddygol, y triniaethau mae hi wedi eu derbyn eisoes ac, yn bwysicaf oll, beth yw ei hagwedd tuag at ei menopos ei hun. Mae'n bwysig adeiladu darlun manwl o'r person, fel bod unrhyw gyngor yn cael ei deilwra yn arbennig ar gyfer yr unigolyn.

HRT yw'r driniaeth fwyaf effeithiol ar gyfer symptomau'r menopos. Mae manteision HRT dipyn yn fwy nag unrhyw risgiau i'r mwyafrif o fenywod. Mae gan HRT fanteision iechyd am flynyddoedd, gan gynnwys lleihau'r risg o glefyd y galon, ac mae'n gallu eich amddiffyn rhag osteoporosis. Ond nid HRT yw'r ateb i bawb ac mae yna opsiynau eraill, fel triniaeth anhormonaidd neu newid rhai pethau yn eich bywyd bob dydd, sy'n gallu helpu. Ar ôl penderfynu ar gynllun triniaeth i'r unigolyn, mae'n bwysig cael asesiad o fewn tri mis i weld sut mae pethau'n datblygu. Os ydy'r person yn hapus, a'r symptomau dan reolaeth, bydd asesiad yn digwydd unwaith y flwyddyn, oherwydd mae pethau'n gallu newid dros amser.

Un o agweddau pwysicaf fy ngwaith i yw gwrando'n astud bob tro, a chydnabod yr effaith arwyddocaol mae'r menopos yn ei gael ar fenyw. Yn rhy aml o lawer mae menywod yn teimlo'u bod yn cael eu hanwybyddu, bod eu problemau'n cael eu hystyried yn ddibwys, neu'n cael eu trin fel achosion seicolegol. Yn anffodus, dwi'n gweld pobl yn aml sydd wedi bod yn dioddef ers misoedd, rhai ers blynyddoedd, â thriniaeth wedi ei gwrthod iddyn nhw, neu rai sydd wedi cael cynnig triniaeth anaddas neu'n teimlo bod rhaid iddyn nhw ddal ati â'u bywydau. Hyd yn oed os ydyn nhw wedi derbyn gofal da, mae amseroedd aros y Gwasanaeth Iechyd yn hir ofnadwy ar hyn o bryd. Mae'r galw yn anferth, a dwi'n credu'n gryf y dylai pob menyw gael yr hawl i ofal menopos pan mae arni ei angen, ac ar sail tystiolaeth yr unigolyn.

Dwi wedi gweithio gyda Llywodraeth Cymru ar Grŵp Gorchwyl a Gorffen Menopos Cymru Gyfan, sy'n gosod safonau ar gyfer gofal y menopos. Nod y Grŵp Gorchwyl a Gorffen yw dod â chlinigwyr, llunwyr polisi a defnyddwyr gwasanaethau yng Nghymru at ei gilydd i gynghori Llywodraeth Cymru ar y canlynol:

- mynediad priodol at wasanaethau menopos a safonau ar eu cyfer yng Nghymru;
- amcanion ar gyfer codi ymwybyddiaeth o'r menopos drwy gydol oes yr unigolyn ac ar draws lleoliadau;
- gwaith modelu galw-capasiti ar gyfer darparu gwasanaeth menopos amlbroffesiwn yng Nghymru;
- mesurau i nodi amrywiadau yn y ffordd y caiff gwasanaethau eu darparu a gofal ei roi ledled Cymru;
- rhoi argymhellion ymarfer y Sefydliad Cenedlaethol dros Ragoriaeth mewn Iechyd a Gofal (NICE) ar waith, yn ogystal â'r argymhellion gorau eraill ar gyfer ymarfer seiliedig ar dystiolaeth ar gyfer darparu gwasanaethau menopos ledled Cymru, a'u gwerthuso;
- sicrhau bod arbenigwyr a darparwyr gwasanaethau menopos wedi eu dosbarthu yng Nghymru yn unol â safonau Cymdeithas Menopos Prydain;
- blaenoriaethu ymchwil i wella gwybodaeth am sut i reoli'r menopos yn effeithiol a dealltwriaeth o hynny.[1]

Yn anffodus, mae'r Gwasanaeth Iechyd ymhell o gyrraedd y nodau yma ar hyn o bryd, ond mae'n galonogol iawn fod Llywodraeth Cymru yn gweld hyn fel un o'i blaenoriaethau.

Gyda chefnogaeth, cyngor a thriniaeth berthnasol, gall y menopos fod yn gyfnod o dyfu fel person ac o gynnig cyfleoedd newydd. Un o'r pethau sy'n rhoi'r mwynhad mwyaf i mi yw gweld menywod yn ffynnu. Fe wna i rannu stori Sara (nid ei henw iawn).

---

1 Amcanion Grŵp Gorchwyl a Gorffen Menopos Cymru Gyfan (www.llyw.cymru /all-wales-menopause-task-and-finish-group-final-report-january-2023)

Pan ddaeth Sara ata i am y tro cyntaf, doedd hi ddim yn gallu stopio crio. Eglurodd ei bod hi'n teimlo mor emosiynol doedd hi ddim yn gallu rheoli ei dagrau. Doedd hi ddim yn cysgu'r nos ac roedd ei chorff yn brifo. Roedd hi wastad wedi caru ei swydd ond roedd hi'n cael trafferthion gyda'i chof, yn anghofio tasgau pwysig ac yn teimlo'n bryderus o hyd. Roedd hi wedi ei siomi'n ofnadwy pan awgrymodd ei bòs iddi gymryd amser o'r gwaith. Dwedodd wrtha i ei bod hi'n teimlo'i bod hi'n mynd yn wallgo. A dwi'n clywed hynny'n aml. Roedd ei phartner yn gefnogol ond ddim wir yn deall sut roedd hi'n teimlo. Roedd eu perthynas yn fregus hefyd oherwydd nad oedd hi'n teimlo fel cael rhyw. Aeth i weld ei GP a ddwedodd ei bod hi'n dioddef o iselder a chafodd gynnig *antidepressants*. Doedd Sara ddim yn siŵr beth oedd yn digwydd iddi, ond doedd hi ddim yn teimlo mai iselder oedd arni. Ro'n i'n cytuno â hi ac ar ôl sgwrsio am amser hir fe wnes i esbonio ei bod hi'n perimenoposaidd. Roedd cael y cyfle i archwilio'i hemosiynau yn gymaint o ryddhad iddi, a daeth i ddeall nad oedd hi'n mynd yn wallgo a bod triniaeth ar gael iddi. Pan ddaeth ata i dri mis yn ddiweddarach ar gyfer yr asesiad roedd hi fel menyw newydd! Ar ôl bod i ffwrdd o'r gwaith am ddau fis, roedd hi wrth ei bodd mynd yn ôl i'w swydd ac yn cael pleser o'i gwaith. Roedd hi hefyd wedi mynd yn ôl i'r gampfa ac yn mwynhau bywyd unwaith eto.

Gall gymryd mwy na thri mis i ddod o hyd i'r driniaeth gywir i rai, ond dwi'n gweld, dro ar ôl tro, bod menywod yn gallu rheoli eu bywydau a mwynhau eu hunain eto. Y ffordd ymlaen yw codi ymwybyddiaeth ac addysgu – mae pŵer mewn gwybodaeth! Mae gwybod am y menopos, y symptomau posib a'r gobaith am wellhad yn eich paratoi'n well ar gyfer gwneud y penderfyniadau sy'n iawn i chi.

"So many women I've talked to see menopause as an ending. But I've discovered this is your moment to reinvent yourself after years of focusing on the needs of everyone else. It's your opportunity to get clear about what matters to you and then to pursue that with all of your energy, time and talent."

Oprah Winfrey

Y menopos cemegol a llawfeddygol

Sarah Williams

Os ydych chi ar eich taith tuag at eich 'Queenage' mae'n rhaid eich bod wedi dod ar draws y menopos yn ddiweddar, naill ai trwy drafod neu ddarllen amdano, gydag erthyglau, blogiau, llyfrau a phodlediadau am y pwnc wedi cynyddu'n aruthrol. A diolch byth am hynny. Mae'n hen bryd i'r menopos gael ei le ar ganol y llwyfan! Ond er y sylw, mae nifer fawr o fenywod yn cael eu hamddifadu o'r wybodaeth angenrheidiol, ddiduedd a pherthnasol am y menopos. Araf yw'r sectorau addysg ac iechyd i ddal i fyny ag ymwybyddiaeth gynyddol y cyhoedd a'r rhai sydd wedi ymchwilio i'r pwnc drostyn nhw'u hunain er mwyn ceisio dod o hyd i atebion ar gyfer cyfnod digon anodd yn eu bywydau, mewn ymgais i deimlo fel nhw eu hunain eto.

Mae nifer o fenywod yn byw bywyd heriol ac yn cael eu dal yn ôl gan symptomau'r menopos, a allai gael eu lleddfu'n hawdd gyda'r wybodaeth a'r cymorth holistig cywir, ac weithiau gan driniaeth feddygol. Mae hyn yn bennaf oherwydd diffyg ymwybyddiaeth a diffyg addysg am gyflyrau iechyd menywod, yn enwedig effaith y menopos. Mae pobl yn aml yn gofyn i mi am ddeunydd darllen dibynadwy ac weithiau'n gofyn am opsiynau Cymraeg. Hyd yma, does dim llawer o ddewis wedi bod o ran ble i gyfeirio pobl at ddeunydd darllen Cymraeg am brofiadau pobl eraill o'r menopos, a bydd y llyfr yma'n cyfrannu'n fawr at lenwi'r bwlch hwnnw. Rydw i wrth fy modd yn cael cefnogi hynny gyda fy nghyfraniad innau.

Cyn symud ymlaen, rhaid i mi egluro mai rhan fechan o fy mhrofiad personol o drawsnewidiad y menopos rydw i'n ei rhannu yma, nid cyngor a fydd yn addas i bawb. Nid yw pawb yn cael yr un profiad o'r menopos – i rai mae'n gyfnod positif o ryddid. Efallai fod rhai arwyddion a symptomau o ddechrau'r menopos yn arwyddion o gyflyrau eraill, felly rydw i bob amser yn argymell eich bod yn mynd at ymarferydd meddygol cymwys ar gyfer unrhyw symptomau newydd o gyflwr sy'n bodoli eisoes, neu symptomau sy'n gwaethygu.

Fy nhaith gydag Anhwylder Dysfforig Cyn Mislif

Cyrhaeddais y menopos drwy lwybr cemegol ac yna llawfeddygol, drwy offorectomi (tynnu'r ddwy ofari) fel triniaeth opsiwn olaf ar gyfer Anhwylder Dysfforig Cyn Mislif (Premenstrual Dysphoric Disorder – PMDD). Yn fy mhedwardegau cynnar, cefais ddiagnosis o'r cyflwr hwn ar ôl tracio fy nghylch mislifol i geisio cael ateb i symptomau corfforol a seicolegol rheolaidd oedd yn cael effaith niweidiol ar fy mywyd. Ar ôl y mis cyntaf o dracio fy symptomau, roedd gwahaniaeth amlwg ar draws un mis llawn, ac ar ôl cofnodi sawl cylch mislifol llawn, roedd yn amlwg fy mod yn profi newidiadau cylchol yn fy symptomau corfforol a seicolegol yn y cyfnod cyn cael fy mislif. Am bythefnos ym mhob mis roeddwn i'n teimlo'n dda, ac am y bythefnos arall roeddwn i'n profi symptomau poenus oedd yn amharu ar fy mywyd, ac roedd y rhain yn gwella pan fyddai fy mislif yn dechrau. Roedd gen i Anhwylder Dysfforig Cyn Mislif, sef anhwylder sensitifrwydd hormonau, sy'n arwain at ymateb negyddol sylweddol i lefelau oestrogen a phrogesteron yn cynyddu ac yn gostwng yn naturiol. Mae digwyddiadau hormonaidd fel dechrau mislif neu feichiogrwydd yn gallu ysgogi neu waethygu PMDD, ac yn fy achos i, y perimenopos oedd y digwyddiad hormonaidd wnaeth ddechrau pethau! Roeddwn i'n ymbil am help i leddfu fy symptomau drwy roi'r gorau i gael y mislif – yn barhaol!

Mae ymwybyddiaeth ac ymchwil yn ymwneud â PMDD yn dal i fod yn y camau cynnar, ond yn ôl y Gymdeithas Ryngwladol ar gyfer Anhwylderau Cyn Mislif (IAPMD),[1] dyma symptomau PMDD (mae'n rhaid i bump ohonynt fod yn bresennol er mwyn cael diagnosis, ac i un ohonynt fod ymlith y pedwar cyntaf):

- teimlo tristwch neu anobaith neu hyd yn oed feddwl am hunanladdiad;
- teimlo tensiwn neu orbryder;
- pyliau o banig, newidiadau eithafol yn eich hwyliau, neu grio'n aml;
- bod yn bigog neu'n flin am amser hir, sy'n effeithio ar bobl eraill;
- diffyg diddordeb mewn gweithgareddau dyddiol a perthnasoedd;
- ei chael yn anodd meddwl neu ganolbwyntio;
- blinder neu ddiffyg egni;
- chwant penodol am fwyd neu byliau o orfwyta;
- trafferth cysgu;
- teimlo allan o reolaeth;
- symptomau corfforol, fel y bol yn chwyddo (*bloating*), y frest yn teimlo'n dyner, cur pen a phoen yn y cymalau neu'r cyhyrau.

Mae'r symptomau hyn yn digwydd wythnos neu ddwy cyn y mislif ac yn gwella o fewn rhai diwrnodau ar ôl i'r gwaedu ddechrau.

Roeddwn i wedi bod yn sensitif i amrywiadau mewn hormonau drwy gydol fy oes, ond fe ddechreuon nhw fynd yn fwy difrifol wrth i'r amrywiadau hormonaidd afreolaidd yn ystod y perimenopos waethygu fy symptomau. Hefyd, yn ystod y cyfnod yma yn fy mywyd, nid oedd gen i ymwybyddiaeth na gwybodaeth am y perimenopos a PMDD er mwyn gallu helpu fy hun. Heb yn wybod i mi, roedd straen ychwanegol yn fy mywyd

---

1 International Association for Premenstrual Disorders: https://iapmd.org

ar y pryd a'r dewisiadau roeddwn yn eu gwneud i ymdopi yn gwneud pethau'n waeth.

Mae ymwybyddiaeth yn hollbwysig o ran cael diagnosis a thriniaeth, ac mae ymyrryd yn gynnar yn allweddol os ydych am fyw yn dda gyda PMDD – mae angen ymwybyddiaeth arnoch er mwyn cyflawni'r ddau beth. Ro'n i'n lwcus bod nyrs gynaecolegol wedi gweld y cysylltiad posib rhwng fy symptomau a fy nghylch mislifol, ond erbyn i hyn ddigwydd, roeddwn i wedi hen basio 'ymyrraeth gynnar' a thynnu fy ofarïau oedd fy unig ddewis er mwyn lleddfu fy symptomau. Er mwyn cytuno i roi llawdriniaeth, roedd angen i fy ymgynghorydd fod yn fodlon mai dyma'r llwybr priodol i mi, a'r unig lwybr oedd ar ôl i mi. I 'brofi' fy ymateb i beidio â chael mislif, cefais gyfnod prawf lle cefais driniaeth GnRHa (Gonadotropin-Releasing Hormone Agonist) – sef cyffur hormonau sy'n rhyddhau gonadotropin, er mwyn dechrau menopos dros dro, sy'n gallu cael ei wrthdroi. Cefais fenopos cemegol, ac o fewn rhai misoedd roeddwn i'n teimlo'n llai pryderus, roedd fy hwyliau wedi sefydlogi, roeddwn i'n gallu gweithio'n haws, ac roedd llai o amharu ar fy mywyd personol. Canlyniad adolygiad gan ymgynghorydd oedd bod hysterectomi yn briodol, ac er bod hyn yn achos dathlu mewn rhai ffyrdd, roeddwn i braidd yn drist hefyd fy mod yn dod â'm cyfnod atgenhedlu i ben, ac yn poeni am yr hyn oedd i ddod nesaf.

Os ydych chi'n meddwl bod gennych chi PMDD, does dim angen i chi ddelio â'r peth ar eich pen eich hun. Efallai y byddwch yn lleddfu'ch ofnau os byddwch yn dweud wrth eich meddyg teulu a rhywun rydych chi'n ymddiried ynddo. Mae rhagor o wybodaeth ar gael erbyn hyn, ond byddwn i wir yn argymell IAPMD – mae ganddynt wefan wych sy'n seiliedig ar dystiolaeth ac sy'n llawn adnoddau rhad ac am ddim a grwpiau cymorth. Yng Nghymru, mae gennym ni PMDD Pod, sef gofod ar-lein lle gallwch roi cymorth i'ch gilydd.[2]

---

2   PMDD Pod Wales: Twitter a Facebook @PmddPod

Menopos llawfeddygol

Ym mis Tachwedd 2018, yn 47 oed, cefais lawdriniaeth hysterectomi abdomenol llawn, gydag offorectomi salpingo dwyochrog (*bilateral salpingo oophorectomy*, neu TAH-BSO), neu 'dynnu'r ddwy ofari'. Mae cael llawdriniaeth wedi newid fy mywyd. Gan fod fy mislif wedi dod i ben am byth, mae'r amrywiadau misol yn fy hormonau rhyw wedi dod i ben hefyd. Ond bydd y sensitifrwydd i hormonau gen i am byth, a rhaid ystyried hyn wrth i mi geisio lleddfu fy symptomau, yn enwedig gyda Therapi Adfer Hormonau (HRT).

Dyma ambell beth y byddai wedi bod yn ddefnyddiol i mi wybod amdanynt cyn fy llawdriniaeth:

- Byddai angen i mi fod yn amyneddgar ac yn realistig ynglŷn â'r amser y byddai'n ei gymryd i mi wella.
- Efallai y byddai angen i mi dreulio mwy na phythefnos yn gweithio gartref.
- Mae canllawiau i beidio â gwneud rhai tasgau o gwmpas y tŷ yn cael eu rhoi am reswm!
- Byddai angen i mi fod yn hyblyg o ran beth roeddwn i'n ei fwyta am gyfnod tra 'mod i'n cael egwyl o'r cyfrifoldebau coginio.
- Byddwn i'n teimlo'n rhwystredig weithiau fy mod i'n cael fy atal rhag gwneud gweithgareddau o ddydd i ddydd.

Os yw hyn yn swnio braidd yn anobeithiol, cofiwch mai llawdriniaeth ar yr abdomen gefais i, nid triniaeth ar y wain neu driniaeth laparosgopig (sef triniaeth twll clo), ac mae'r prosesau adfer yn wahanol iawn. Hefyd, mae gan bawb amgylchiadau gwahanol a fydd yn effeithio ar eu hadferiad, eu hamynedd a'u lefelau goddef poen. Mae'n siŵr 'mod i wedi gwylio pob rhaglen deledu sydd ar gael ar-lein am rai misoedd, ond dyma rai o'r eitemau wnaeth fy helpu i wrth i mi wella:

- bwrdd ar olwynion dros y gwely, ar gyfer llyfrau, laptop, llyfrau nodiadau, paneidiau o de di-ri a'r rimôt;
- clustog siâp V – mae hon yn dal i gael defnydd mawr!

- nicyrs ar ôl llawdriniaeth, neu 'nicyrs mawr' – maen nhw'n feddal ac yn gyfforddus a gallwch eu prynu yn weddol rad ar-lein.
- band mamolaeth ar gyfer y bol, sy'n rhoi cynhaliaeth i fol tyner chwyddedig!

O ran cymorth meddygol, chefais i ddim canllawiau ar ôl y llawdriniaeth heblaw am ambell daflen wybodaeth. Roedd angen i mi drefnu popeth arall fy hun, fel:

- adolygiad gyda fy ymgynghorydd ar gyfer cynllun Therapi Adfer Hormonau newydd, sydd angen ei reoli'n ofalus o gofio am fy sensitifrwydd i hormonau. Cefais fy apwyntiad cyntaf chwe mis ar ôl fy llawdriniaeth;
- apwyntiad gyda fy nyrs yn y feddygfa er mwyn cael archwiliad dair wythnos ar ôl y driniaeth;
- ffisiotherapi: llwyddais i ddod o hyd i grŵp ffisio iechyd menywod drwy'r ysbyty;
- therapi siarad: roeddwn i'n gwybod y byddwn i'n profi gwahanol emosiynau, o gyfnod rhyfedd y perimenopos a PMDD hyd at y Fi newydd, ôl-fenoposaidd.

Y Menopause Café

Roedd y Menopause Café[3] werth y byd! Am dros ddwy flynedd, fe wnaeth cynnal y Menopause Café yng Nghaerdydd fy helpu i adfer fy hyder wrth i mi wella o PMDD, wrth i mi gwrdd â phobl, crio a chwerthin am y menopos mewn amgylchedd cefnogol, gyda phobl yn cefnogi ei gilydd ac yn rhannu profiadau ac argymhellion ar gyfer goroesi'r cyfnod mewn un darn! Dysgais sut i ddelio â'r her a chytuno i wneud pethau nad oeddwn i wedi'u gwneud o'r blaen! Gallwch ddysgu mwy am ddigwyddiadau'r Menopause Café ar-lein. Os na allwch chi ddod o hyd i un cyfleus, beth am drefnu digwyddiad eich hun!

---

3 Menopause Café: www.menopausecafe.net

Manteisio ar apwyntiadau menopos

Gwers werthfawr arall i mi oedd cynllunio'n well ar gyfer apwyntiadau meddygol a chydnabod pryd mae angen i mi ofyn am help a chymorth yn brydlon – cyn i bethau droi'n argyfwng! Rydw i wedi dysgu bod angen i mi wneud amser i siarad â rhywun pan fydda i'n teimlo wedi fy llethu, yn methu cysgu, ddim yn gwneud dewisiadau iach, yn gweld bod pethau'n cael effaith ar berthnasoedd a gwaith a/neu pan nad ydw i'n mwynhau bywyd fel arfer. Gan fy mod i'n cymryd meddyginiaeth ar gyfer symptomau'r menopos, mae angen i mi siarad gyda meddyg teulu a ffrind agos fel arfer. Ond dim ond hyn a hyn o amser sydd gan feddyg teulu i asesu anghenion a rhoi cyngor, felly mae paratoi yn hanfodol er mwyn i mi gael y canlyniad gorau. Dyma fy argymhellion ar gyfer paratoi, all eich helpu chi hefyd:

1. Beth yw'r symptomau sy'n peri'r drafferth fwyaf i chi, a sut maen nhw'n effeithio arnoch chi?
2. Beth yw'r newid sydd ei angen arnoch chi yn sgil cyngor y driniaeth?
3. A oes rhywun yn eich meddygfa sydd â diddordeb arbennig yn y menopos y gallwch chi ei weld?
4. Os oes angen rhagor o amser arnoch chi i gyfathrebu neu i brosesu gwybodaeth, gofynnwch am apwyntiad hirach.

5. Ewch â chopi o'ch traciwr symptomau. Gall hyn fod ar ap Femtech neu, os ydych chi'n pryderu am rannu data digidol, mae tracio ar bapur yn iawn hefyd.

6. Gwnewch nodyn o unrhyw newidiadau i lefelau straen a gorbryder, ac o ba ffactorau sydd wedi newid i chi gartref, yn y gwaith neu mewn unrhyw ffordd arall.

7. Gwnewch nodyn o'r hyn rydych chi wedi'i drio'n barod i geisio rheoli eich symptomau, e.e. meddyginiaethau newydd, atchwanegiadau llysieuol (*herbal supplements*), ymarfer corff rheolaidd, gweithgareddau meddylgarwch, therapi siarad, ioga ac ati.

8. Mae gennych hawl i godi llais am eich iechyd eich hun, ac i ofyn cwestiynau am eich cynllun triniaeth. Ac mae'n hollol dderbyniol i chi fynd â rhywun gyda chi, neu i siarad ar eich rhan.

Hefyd, gallwch gael canllawiau gan wasanaeth gwybodaeth NICE i gleifion, yn ogystal â chyngor ar gwestiynau i'w gofyn ynglŷn â Therapi Adfer Hormonau.[4]

Ymwybyddiaeth o'r menopos

Mae llyfrau fel *Menopositif* yn bwysig dros ben, gan mai'r unig ffordd o ddechrau gwneud newidiadau a dewisiadau gwybodus yw meddu ar ymwybyddiaeth a gwybodaeth. Yn ystod fy holl amser yn byw gyda PMDD, doeddwn i ddim yn ymwybodol o'r perimenopos o gwbl, a doedd yr un ymarferydd iechyd wedi dweud y gair wrtha i erioed. Doedd y menopos heb gael ei drafod, hyd yn oed, nes i'r llawdriniaeth gael ei threfnu! Ond roeddwn i wedi bod yn dioddef rhai o'r symptomau isod ers peth amser, ac wedi bod yn gofyn am help. Erbyn hyn, rydyn ni'n sôn yn rheolaidd am lawer o'r rhain wrth siarad am y menopos, a phe bawn i'n ymwybodol ohonynt bryd hynny, efallai y byddwn

---

4 Questions to ask about menopause | Information for the public | Menopause: diagnosis and management | Guidance (nice.org.uk)

i wedi gwneud y cysylltiad ynghylch sut roedd hormonau'n effeithio ar fy mywyd:

- y galon yn curo'n gyflym;
- pinnau bach;
- croen sych – roeddwn yn crafu gwaelod fy nghoesau nes iddynt waedu (awgrymodd un meddyg wrtha i bod angen i mi eillio fy nghoesau'n fwy aml!);
- gorbryder a phyliau o banig sy'n gwaethygu;
- dagrau a'r hwyliau'n newid yn aml bob mis;
- trafferthion wrth geisio canolbwyntio a chadw ffocws;
- poen yn y benelin a'r cymalau, a chymalau fy mysedd yn chwyddo;
- problemau gyda'r bledren (methu cyrraedd y tŷ bach yn ddigon cyflym!);
- gwaedu'r mislif yn mynd yn drymach, neu waedu mawr annisgwyl a all arwain at driniaeth ffibroidau.

Hefyd, cefais arwyddion bod rhywbeth o'i le na wnes i ofyn am help ar eu cyfer, fel siociau trydanol pan oeddwn allan yn siopa, fy ngwallt yn mynd yn fwy cyrliog yn fy nhridegau hwyr, a theimlo fy mochau'n cochi ar ôl bwyta siocled a bwyd sbeislyd ac yfed gwin coch!

Symud ymlaen

A minnau'n 52 oed erbyn hyn, mae'n bosib fy mod i wedi cyrraedd yr oedran y byddwn i bron wedi pasio'r menopos. Fydda i ddim yn gwybod pryd fyddai hynny wedi bod, ond mae'n llai pwysig nawr gan fy mod i bellach yn derbyn fy statws menopos llawfeddygol, ac yn ceisio croesawu heneiddio'n iach! Mae hyn yn cynnwys bod yn garedig â mi fy hun a llawer o hunanofal hefyd! Rydw i'n fwy llym o ran gosod ffiniau mewn perthnasoedd ac yn y gwaith, a minnau wedi dysgu ar hyd y ffordd bod galluogi pobl i gamu dros y ffiniau hyn yn cael effaith negyddol ar fy iechyd a'm lles. Gan fod lleihau straen yn elfen bwysig o lesiant yn ystod y cyfnod ar ôl y menopos, nawr yw'r amser i sefyll yn gadarn a gosod ffiniau, dweud 'na' i bethau nad ydw i eisiau eu gwneud ac 'ie' i'r pethau sy'n gwneud i mi wenu!

Mae beth bynnag fydda i'n ei wneud nawr yn bwysig ar gyfer fy iechyd yn y dyfodol, gyda chymorth arbenigwyr a fy ymchwil fy hun, felly byddaf yn parhau gyda Therapi Adfer Hormonau cyhyd â bod y manteision yn fwy na'r risgiau. Bydd y cam newydd hwn yn fy mywyd yn un heb y straen o orfod ceisio deall yr holl lol sydd wedi digwydd o'r blaen. Gallaf ganolbwyntio mwy arna i fy hun, ar fy natblygiad fy hun. Mae angen i ni newid y naratif ynglŷn â heneiddio, a'i groesawu, a theimlo'n lwcus ein bod ni'n gallu ei brofi – yn aml gallwn ni roi mwy o feddwl i'r hyn rydyn ni'n ei wisgo nag i'r ffordd rydyn ni'n gofalu am ein hiechyd a'n lles hirdymor!

Rhannu gwybodaeth am y menopos

Mae ymwybyddiaeth gynyddol y cyhoedd am y menopos yn digwydd mewn cyd-destun o anghydbwysedd o ran gweithlu gofal iechyd sydd heb addysg orfodol am y menopos. Mae cyfle o hyd i bobl fanteisio ar y bwlch presennol o ran addysg am y menopos. Mae'r sector erbyn hyn yn cynnig cyfle gwych ar gyfer 'hyfforddwyr' o fewn y diwydiant. Mae addysg am y menopos ar hyn o bryd yn dal i fod yn sector heb ei reoleiddio, felly byddwch yn ofalus ble y cewch eich addysg bersonol. Gall fforymau'r cyfryngau cymdeithasol fod yn fannau ardderchog i deimlo'n llai unig, cael lle i gysylltu â phobl a gwneud ffrindiau newydd, ond nid ydynt yn llefydd delfrydol ar gyfer cael cymorth meddygol unigol. Darllenwch a gwrandewch ar wybodaeth o ffynonellau dibynadwy, sydd â ffeithiau wedi'u gwirio gan weithwyr meddygol proffesiynol, fel Women's Health Concern,[5] Rock My Menopause,[6] NAPS,[7] neu IAPMD am wybodaeth am PMDD. Gallwch hefyd ddilyn gweithwyr iechyd ar y cyfryngau

---

5 Women's Health Concern: www.womens-health-concern.org
6 Rock my Menopause: www.rockmymenopause.com
7 NAPS (National Association for Premenstrual Syndromes): www.pms.org.uk

cymdeithasol ond dylech wirio eu cymwysterau a'u statws cofrestru gyda Chymdeithas Menopos Prydain,[8] yn ogystal ag unrhyw wrthdaro buddiannau masnachol. Mae hefyd yn bwysig cofio nad yw meddyg proffesiynol cymwys, hyd yn oed, yn gwybod eich hanes meddygol llawn wrth roi cyngor i chi mewn gweminar neu sesiwn holi ac ateb.

Yn olaf, fy nghyngor i yw y dylech ddelio â'r menopos ar eich cyflymder eich hun. Does dim ots os ydych yn gynt, neu'n arafach, na phobl eraill ar y cyfnod hwn yn eich bywyd. Cyhyd â'ch bod chi'n teimlo'n iawn ac yn gallu ffynnu fel chi eich hun, dyna'r unig beth sy'n bwysig. Mae gennych yr hawl i brofi'r menopos yn ôl eich dymuniadau chi, a chofiwch, gyda'r wybodaeth a'r cymorth cywir, gall y menopos fod yn gyfnod o drawsnewid!

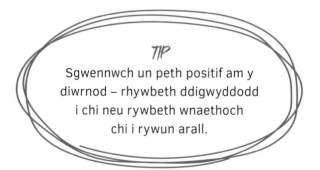

TIP
Sgwennwch un peth positif am y diwrnod – rhywbeth ddigwyddodd i chi neu rywbeth wnaethoch chi i rywun arall.

---

8 Cymdeithas Menopos Prydain / British Menopause Society: www.thebms.org.uk

"I think menopause gets a really bad rap and needs a bit of a rebranding. I don't think we have in our society a great example of an aspirational menopausal woman."

Gwyneth Paltrow

Hen cyn fy amser?

Angharad Llwyd Beech

> "Paid â bod yn wirion, ti'n rhy ifanc i fod ar y *change*, siŵr!"

Dyna oedd yr ymateb pan o'n i'n ddigon dewr i rannu fy symptomau cynnar. Ro'n i'n 34 oed, yn fam i ddau o blant bach, ac yn dechrau drysu. Siawns 'mod i'n rhy ifanc i fod ar y menopos?!

Fe gymerodd dros flwyddyn i mi feichiogi'r tro cyntaf, gan fod fy mislif mor anwadal. Ond pan oedd Gwenno'n naw mis, fe gawson ni syrpréis fod Gruffudd ar ei ffordd. Ro'n i wedi gwirioni efo'r ddau, ac yn hel meddyliau am gael trydydd plentyn. Felly dyma dynnu'r *implant* atal cenhedlu, a oedd wedi atal y mislif am gyfnod.

Ches i ddim mislif wedyn am fisoedd. Wnes i ddim meddwl llawer am y peth, dim ond aros i natur ailgydio. Ond yn raddol, dechreuais sylwi nad o'n i'n teimlo fel fi'n hun o gwbl. Ro'n i'n ddihyder – oedd yn hollol i'r gwrthwyneb i'r Angharad arferol! Ro'n i'n osgoi sgwrsio efo pobl, ac yn methu canolbwyntio. Mi fyddwn i'n teimlo gwres mawr yn codi o 'nhu mewn wrth ffilmio yn y gwaith, ac yn gwingo wrth anghofio cyfarwyddiadau syml.

Aeth fy meddwl yn niwl unwaith ar raglen deledu fyw. Roedd gen i gur pen a blinder ofnadwy, roedd pob man yn brifo a finnau ar goll mewn panig parhaus.

Dwi'n cofio cerdded rownd Tesco yn trio cofio pam ro'n i yno, cyn cerdded allan efo troli gwag a beichio crio yn y car. Ro'n i'n drysu amseroedd gwersi nofio'r plant. Ro'n i'n afresymol efo Dafydd fy ngŵr, ac yn cloi fy hun yn y lle chwech i ddod at fy nghoed. Bob nos, ro'n i'n deffro'n chwys diferol, ac yn gorfod codi i newid coban am ei bod yn wlyb socian. Ro'n i'n dechra amau fod rywbeth mawr yn bod arna i.

"Mae'n rhaid dy fod di'n gwisgo gormod yn y gwely," oedd ymateb cyntaf y doctor.

Dyma fentro'n ôl i'r feddygfa wythnosau'n ddiweddarach a holi, "Tybed ai'r menopos ydy o?"

"Mae'n annhebygol yn dy oedran di, ond fe wnawn ni'r profion, rhag ofn."

Ges i'r canlyniadau dros y ffôn. "Yes, it looks like your ovaries are packing in" oedd yr union eiriau. Ro'n i'n 34 oed, ac ar y menopos.

Am gyfnod, ro'n i'n gwrthod credu. Ond fe ges i chwech prawf FSH (Follice-Stimulating Hormone) i gyd, a'r cwbl yn cadarnhau bod y diagnosis yn gywir. Er i'r doctor awgrymu HRT, ro'n i am ddal ati i drio cael mwy o blant. Aeth misoedd heibio, a finnau'n digalonni 'mod i'n methu beichiogi, 'mod i'n hen cyn fy amser. Diolch byth fod gen i ŵr cariadus i roi nerth i mi trwy'r cwbl. Fe wnaethon ni drafod IVF, benthyg wyau a mabwysiadu, a sylweddoli y byddai hynny'n rhoi gormod o straen ar ein teulu bach. Roedden ni'n ofnadwy o lwcus fod ganddon ni ddau o blant bach perffaith yn barod, ac roedden ni'n eu caru a'u gwerthfawrogi nhw fwy a mwy bob dydd.

Ddwy flynedd yn ddiweddarach, es i weld arbenigwraig yn Ysbyty Gwynedd.

"We can't have you walking around without oestrogen," medda hi, gan ddweud bod fy esgyrn angen yr hormon i 'ngwarchod rhag datblygu osteoporosis. Yn gyndyn ac yn nerfus, cytunais i ddechrau cymryd HRT.

Rhyw dair wythnos wedyn, doeddwn i ddim yr un person. Roedd yr hyder yn dechrau dod yn ôl, y chwysu yn y nos wedi peidio, a'r pyliau poeth wedi lleihau. Ro'n i'n meddwl yn fwy positif, ac yn llai *stressed*! Dwi ar HRT ers bron i ddegawd rŵan, ar ffurf jel erbyn hyn, a thabledi drwy gydol y mis.

Mae'n rhaid i mi gyfaddef fod y cyfnod anodd hwnnw wedi bod yn un unig iawn. Er eu bod yn cydymdeimlo, roedd hi'n amhosib i'm ffrindiau ddeall gan nad oedden nhw'n mynd drwyddo ar y pryd. Ddwedais i ddim wrth lawer o neb arall am fy nghyfrinach am flynyddoedd. Roedd gen i gywilydd 'mod i'n 'wahanol', a doedd dim hanner cymaint o drafod ar y menopos ar y cyfryngau ddeng mlynedd yn ôl. Roedd o'n dal yn tabŵ, ac roedd mynd drwyddo yn ifanc yn gwneud i mi deimlo fel ffrîc.

Ond doedd dim angen teimlo felly. Erbyn deall, mae 1 mewn 100 yn cael menopos cynnar, neu POI (Premature Ovarian Insufficiency) cyn bod yn 40 oed, ac 1 mewn 1,000 o dan 30. Mae posib mynd drwyddo yn eich arddegau hyd yn oed. Mae'n gallu digwydd am wahanol resymau meddygol, neu am ddim rheswm o gwbl.

Tydy o ddim yn gyfnod hawdd, ac os ydach chi, fel fi, yn mynd drwyddo cyn eich amser, byddwch yn garedig efo chi'ch hun. Mae ychydig mwy o wybodaeth ar gael bellach; mae fforwm y Daisy Network yn cynnig rhywfaint o gyngor a chefnogaeth, ond hyd y gwn i, dim byd hyd yma yn y Gymraeg.

Meddyliwch am y menopos fel allt serth ar lwybr eich bywyd;

allt y mae'n rhaid i ni ferched i gyd ei dringo ar ryw bwynt – fedrwn ni ddim ei hosgoi. Ond mae dipyn bach haws os ydach chi'n ffit ac yn bwyta'n iach, yn yfed digon o ddŵr, yn ofalus o'r alcohol a ddim yn smygu. Cymerwch seibiant os ydach chi'n stryglo. Mae haul, miwsig da a chefnogaeth yn hwb i ddringo'r allt, a magnesiwm, calsiwm a *collagen* yn helpu'r corff i ymdopi. Daliwch ati; a phan gyrhaeddwch chi'r top, mi fyddwch yn gryfach ac yn ddewrach nag erioed.

TIP

Siaradwch ag aelodau benywaidd o'r teulu – mam, mam-gu, chwaer, modryb – am eu profiadau nhw o'r menopos.

Dwi ddim yn cael pyliau poeth, ond dwi'n cael mynd
ar wyliau bach preifat i wlad drofannol.

Deg ffaith

Dr Robin Andrews

1. **Gall symptomau'r menopos bara'n llawer hirach na'r disgwyl**

   Mae pyliau poeth, chwysu yn y nos, hwyliau isel a phryder i gyd yn nodweddion cydnabyddedig o'r menopos. Mae'r rhan fwyaf o ganllawiau'n awgrymu y bydd y symptomau'n para tua phedair blynedd. Fodd bynnag, mae astudiaethau diweddar wedi gwyrdroi'r syniad bod symptomau'r menopos yn fyrhoedlog. Canfu un astudiaeth yn yr Unol Daleithiau y gall symptomau'r menopos bara am saith, a hyd at 14 o flynyddoedd. Yn yr un modd, awgrymodd astudiaeth yn Awstralia fod 7% o fenywod 60–65 oed yn dal i brofi symptomau'r menopos.

2. **Gall iselder fod yn broblem fawr**

   Adroddodd y Swyddfa Ystadegau Gwladol yn 2017 fod menywod 50–54 oed yn fwy tebygol nag unrhyw grŵp oedran benywaidd arall o gyflawni hunanladdiad. Yr oedran cyfartalog i fenyw o Brydain fynd i mewn i'r menopos yw 51, ac mae tystiolaeth yn awgrymu y gall iselder yn ystod y menopos ymddangos yn wahanol o'i gymharu ag anhwylderau iselder eraill. Oherwydd bod triniaethau meddygol ar gyfer iselder wedi cael eu treialu gyda chynrychioliadau 'nodweddiadol' o'r salwch, efallai na fyddai therapïau arferol mor effeithiol ar gyfer iselder sy'n gysylltiedig â'r menopos.

3. Gellir cymysgu rhwng y menopos a chyflyrau iechyd eraill

Mae mwy na 30 o wahanol symptomau yn gysylltiedig â'r menopos, a bydd menywod y Deyrnas Unedig yn profi wyth symptom ar gyfartaledd. Felly, nid yw'n syndod bod camddiagnosis yn gyffredin yn ystod y menopos, gan fod llawer o symptomau yn nodweddiadol o gyflyrau cyffredin eraill, gan gynnwys anhwylderau thyroid ac iselder clinigol. Mewn arolwg a gomisiynwyd gan Health & Her o 1,000 o fenywod rhwng 45 a 60 oed, cyfaddefodd 70% eu bod yn profi symptomau perimenoposaidd yn eu tridegau a'u pedwardegau, ond methodd 90% ag adnabod y cysylltiad uniongyrchol â'u hormonau cyfnewidiol, gan briodoli'r symptomau yn hytrach i heneiddio, straen, pryder ac iselder.

4. Mae'r menopos yn amrywio rhwng carfanau ethnig gwahanol

Gall y menopos amrywio yn ôl eich cefndir ethnig: oedran cyfartalog y menopos ar gyfer menywod Indiaidd yw 46.2, tra bo cyfartaledd y Deyrnas Unedig yn 51 oed, fel y soniwyd eisoes. Mae'r symptomau'n amrywio ledled y byd hefyd; er enghraifft, mae menywod o wledydd Dwyrain Asia, fel Tsieina a Japan, yn llai tebygol o gael pyliau poeth na menywod o dras Ewropeaidd.

5. Gall trin symptomau'r menopos fod yn anodd

Y brif feddyginiaeth ar gyfer y menopos yw Therapi Adfer Hormonau (HRT). Mae gan HRT hanes dadleuol, wrth i ddwy astudiaeth a gafodd dipyn o gyhoeddusrwydd pan gyhoeddwyd y canlyniadau ddod i'r casgliad y gallai gynyddu'r risg o ddatblygu canser a phroblemau iechyd eraill. Mae'r astudiaethau hyn wedi cael eu beirniadu am nifer o resymau, ond mae llawer o weithwyr iechyd proffesiynol a chleifion yn dal i fod yn ofalus wrth ystyried HRT.

6. Dyw menywod ddim yn gofyn am gymorth

Bydd hyd at 90% o fenywod y Deyrnas Unedig yn profi symptomau difrifol adeg y menopos, ond dim ond eu hanner fydd yn gofyn am gymorth meddygol. Mae nifer o resymau am hyn. Canfu adroddiad a wnaed gan Gymdeithas Menopos Prydain yn 2016 fod y rhan fwyaf o fenywod yn teimlo gormod o gywilydd i drafod symptomau'r menopos gyda'u meddyg, ac roedd eraill yn credu bod y menopos yn 'ddim ond rhywbeth roedd rhaid iddyn nhw ei ddioddef'.

7. Mae bron i 8 o bob 10 o fenywod menoposaidd yn gweithio

Yn 2017, nododd yr Swyddfa Ystadegau Gwladol mai menywod menoposaidd yw'r demograffeg sy'n tyfu gyflymaf yng ngweithlu'r Deyrnas Unedig. Ers hynny, bu cefnogaeth gynyddol i'r gweithwyr hyn, gan gynnwys ymdrechion i leihau'r tabŵ sy'n gysylltiedig â'r menopos, ac i sicrhau bod cwmnïau'n darparu cefnogaeth effeithiol.

8. Dyw'r menopos ddim yn ddrwg i gyd

Dyw pob dynes ddim yn dioddef yn ystod y menopos, ac mae rhai'n nodi gwelliannau mawr. Mae'r menopos yn dynodi diwedd y mislif, sydd hefyd yn golygu diwedd ar PMS a phoeni am feichiogi. Yn ogystal â hynny, gall cyflyrau poenus fel endometriosis a ffibroidau wella a chael eu datrys yn aml ar ôl y menopos. Mae llawer o fenywod hefyd yn profi teimladau o ymrymuso a hunanhyder ar ôl y menopos, gan fod hynny'n aml yn cyd-fynd â sefydlogrwydd ariannol, a bod ar anterth eu gyrfa.

9. Gall datblygiadau mewn technoleg wella canlyniadau iechyd menopos

Mae busnesau technoleg newydd yn datblygu adnoddau iechyd ar-lein ar gyfer menywod sy'n mynd drwy'r menopos, gan gynnig cyngor arbenigol gan weithwyr proffesiynol hyfforddedig ac amrywiaeth o feddyginiaethau i leddfu symptomau. Mae apiau'n cael eu datblygu a fydd yn cynnig cefnogaeth yn ôl y galw ac wedi ei theilwra ar gyfer yr unigolyn. Mae tystiolaeth yn awgrymu y gall monitro symptomau fod yn fuddiol iawn, felly gall technoleg newydd fynd yn bell tuag at wella iechyd menywod adeg y menopos.

10. Dim ond pum anifail ar y blaned sy'n profi'r menopos

Mae'r rhestr hon yn cynnwys bodau dynol, orcas, morfilod pengrwn, morfilod gwyn a morfilod ungorn. Mae pwrpas y menopos mewn anifeiliaid yn dal yn aneglur, ond mae rhai gwyddonwyr yn credu bod menywod aeddfed o rai rhywogaethau wedi esblygu i atal eu gallu i atgenhedlu er mwyn meithrin epil eu merched a gofalu am y cenedlaethau nesaf, tra bod eu merched yn parhau i gystadlu am yr adnoddau hanfodol ac i genhedlu mwy o blant. Gelwir hyn yn 'ddamcaniaeth mam-gu' (*grandmother hypothesis*).

- https://health.research.southwales.ac.uk/health-research-news/10-facts-about-menopause/ Prifysgol De Cymru; KESS-2 (www.kess2.ac.uk/cy); Health & Her (www.healthandher.com).

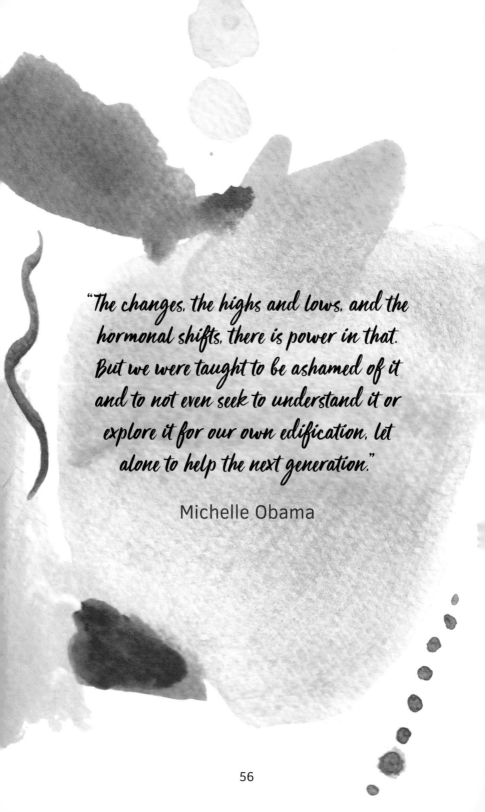

"The changes, the highs and lows, and the hormonal shifts, there is power in that. But we were taught to be ashamed of it and to not even seek to understand it or explore it for our own edification, let alone to help the next generation."

Michelle Obama

Arolwg mawr y menopos

Elin Bartlett

Mae'r trafodaethau ynglŷn â'r menopos yn cynyddu bob dydd, gyda llawer mwy o fenywod yn dewis rhannu eu profiadau a hyrwyddo'r gwelliannau sydd eu hangen o fewn y byd meddygol ac yn y gweithle.

Cynhaliwyd arolwg gan gylchgrawn *Cara* yn ystod Ionawr a Chwefror 2023, er mwyn casglu data gan fenywod Cymru ynglŷn â byw gyda'r menopos – o'u symptomau, eu hemosiynau a'u perthynas i unrhyw bolisïau sy'n bodoli yn eu gweithle. Crëwyd arolwg ar-lein a rannwyd ar dudalen Facebook cylchgrawn *Cara*, ac wedyn ei rannu gyda grwpiau eraill megis Rhwydwaith Menywod Cymru a Problema Menopos Genod. Derbyniwyd 325 o ymatebion i gyd.

1. Y cyfranwyr

Yn ôl yr NHS, mae'r menopos fel arfer yn dechrau rhwng 45 a 55 mlwydd oed, ond mae cymaint o amrywiaeth rhwng pob unigolyn. Amrediad oedran y bobl a ymatebodd i'r arolwg oedd 36 mlwydd oed i 66 a hŷn.

Gwelir yma mai'r grŵp mwyaf yw 46–55, sy'n cyd-fynd â'r cyfartaledd oedran cenedlaethol ar gyfer dechrau'r menopos.

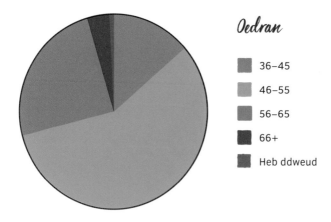

Oedran

- ■ 36–45
- ■ 46–55
- ■ 56–65
- ■ 66+
- ■ Heb ddweud

Yn ôl y Faculty for Occupational Medicine mae tua 8 o bob 10 menyw sy'n byw gyda'r menopos yn gweithio. Mae hyn yn wir am ymatebwyr yr arolwg yma, gan mai dim ond 8 ohonynt oedd ddim yn gweithio o gwbl ac roedd 23 wedi ymddeol. Y sector cyhoeddus oedd y gweithle mwyaf cyffredin, a gofynnwyd hefyd beth oedd maint y cwmni ar sail nifer y gweithwyr:

- cwmni bach = llai na 10 o bobl
- cwmni canolig = rhwng 10 a 50
- cwmni mawr = dros 50 o bobl

2. Y symptomau

Yn gyffredinol, mae pobl yn cysylltu'r menopos â symptomau megis pyliau poeth a'r mislif yn dod i ben. Ond mae amrywiaeth eang o symptomau i'w cael, rhai corfforol ond hefyd rai seicolegol ac emosiynol. Fel arfer, mae pobl yn profi nifer o symptomau ar hyd eu taith drwy'r menopos. Yn yr arolwg yma, dywedodd 60% o bobl fod ganddynt 10 symptom neu fwy, o gymharu â 14.5% oedd wedi dewis y blwch 5 symptom neu lai. Nododd 8 ymatebydd eu bod wedi profi 20 symptom neu fwy. Felly, yn amlwg, mae'r darlun o berson sy'n byw gyda'r menopos yn un cymhleth, ac mae'n rhaid cofio am yr holl symptomau amrywiol yma sy'n effeithio ar systemau gwahanol yn ein cyrff wrth geisio cynllunio triniaeth ar gyfer pob unigolyn.

Dengys y graff canlynol y symptomau mwyaf cyffredin, yn ôl yr arolwg yma:

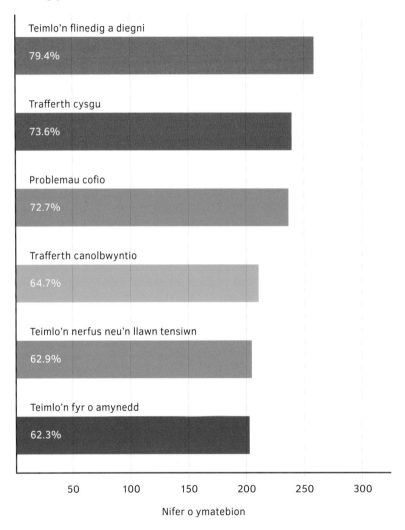

Nifer o ymatebion

Fel y gwelir, symptomau emosiynol a seicolegol yw'r rhai mwyaf cyffredin, er bod llawer yn credu mai cyflwr biolegol a chorfforol yn unig yw'r menopos. Yn hytrach, mae dros 62% o'r ymatebwyr yn nodi mai pethau fel eu hwyliau, eu hemosiynau, eu cof a'u hegni sydd wedi eu heffeithio yn bennaf.

Dyma ambell ymateb:

> *[Dydw i] ddim yn cymdeithasu 'run fath, ddim isio gadal y tŷ.*
>
> *Crio am y peth lleiaf. Gorfeddwl a phoeni am bethau.*
>
> *Mwya sydyn rwy'n mynd i banics ac yn ei chael hi'n anodd weithiau i wneud penderfyniad – yn y gwaith ac yn y gegin, pethau mawr a mân fel ei gilydd!*
>
> *Llawer mwy sgati, methu canolbwyntio. Anghofio pethau amlwg fel fy rhif ffôn. Colli 'sense of direction'. Teimlo fel bod y weiers yn fy mhen wedi cymysgu lan i gyd.*

O ran symptomau corfforol a biolegol eraill, nodwyd nifer o rai gwahanol, gan gynnwys fagina sych (32%), problemau wrinol (24.9%), teimlo'n chwil neu bron â llewygu (24.6%) a tinitws (18.5%). Nododd 1.5% nad oedden nhw wedi sylwi ar unrhyw symptomau o gwbl.

3. Y gweithle

O blith ymatebwyr arolwg cylchgrawn *Cara*, roedd

- 46.8% yn gweithio yn y sector cyhoeddus,
- 7.7% yn gweithio yn y sector preifat,
- 32.6% yn gweithio gartref, a
- 6.8% wedi ymddeol.

Er bod argymhellion gan yr European Menopause and Andropause Society ar gael eisoes, nid oes polisïau menopos yn y gweithle mewn grym ym mhobman. Mae'r canllawiau'n cynnwys darparu hyfforddiant i weithwyr er mwyn gwella eu dealltwriaeth o'r menopos, ac ystyried cynnig oriau gwaith hyblyg i bobl os ydynt yn dioddef o ddiffyg cwsg o ganlyniad i'r menopos.

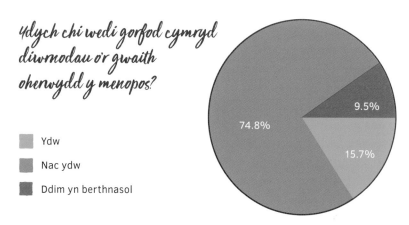

Ydych chi wedi gorfod cymryd diwrnodau o'r gwaith oherwydd y menopos?

- Ydw
- Nac ydw
- Ddim yn berthnasol

74.8%

9.5%

15.7%

Mae'r nifer uchel o fenywod sydd wedi gorfod cymryd diwrnod o'r gwaith oherwydd effeithiau'r menopos yn dangos bod diffyg ymwybyddiaeth a diffyg gwybodaeth mewn nifer fawr o'r gweithleoedd. Rhaid cofio hefyd fod menywod weithiau'n rhy swil neu fod ganddyn nhw gywilydd a'u bod yn anfodlon cyfaddef eu bod yn mynd drwy'r menopos. Faint o broblem yw hyn i fenywod menoposaidd felly?

Dengys y graff isod sawl person a ymatebodd i'r arolwg oedd â chanllawiau menopos yn eu gweithle:

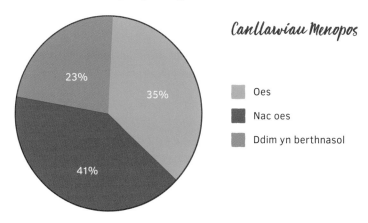

Canllawiau Menopos

- Oes
- Nac oes
- Ddim yn berthnasol

23%

35%

41%

Yn ogystal, dywed 48% o ymatebwyr nad oes cwrs na thrafodaeth swyddogol wedi bod ynglŷn â'r menopos yn eu gweithle, gydag 17% yn credu nad yw hynny'n berthnasol hyd yn oed.

Dydy hi ddim yn syndod nad oes gan y rhan fwyaf o weithleoedd bolisïau penodol ar gyfer y menopos, ond mae'n sicr fod yr anghydbwysedd yn dechrau lefelu wrth i'r drafodaeth gynyddu. Er hyn, mae 23% yn credu bod cael canllawiau yn y gwaith yn amherthnasol iddyn nhw, a nifer fawr heb fod yn ymwybodol a oes polisi menopos gan y gweithle ai peidio. Mae'n rhaid ystyried beth yw'r rhesymau am hyn. Efallai nad ydynt yn credu bod y menopos yn rheswm digonol er mwyn cael canllawiau penodol, neu eu bod yn tybio ei fod yn rhan naturiol o heneiddio a bod rhaid i fywyd fynd yn ei flaen. Pa mor gyffredin yw'r agwedd hon o fewn cymdeithas, tybed?

Dyma rai o'r ymatebion:

> *Ddim yn siŵr oherwydd ddim yn gweld y gweithle yn effeithio ar y symptomau.*

> *Mae 'na boster ar y wal yn unig yn adrodd y symptomau.*

> *Nid oes canllawiau ffurfiol ond mae yna gefnogaeth.*

> *Staff Iechyd a Llesiant yn trefnu sesiynau yn achlysurol, sydd yn ddifyr a defnyddiol.*

Yn ogystal, rhaid cofio nad pawb sydd am ddatgelu eu bod yn mynd drwy'r menopos, efallai o ganlyniad i ryw lefel o stigma sy'n bodoli o fewn cymdeithas:

> *Mae'n anodd achos dwi'n arwain tîm o ddynion… Byddwn i ofn i rywun ei ddefnyddio yn fy erbyn.*

> *Roeddwn yn mynd drwy'r menopos tra o'n i'n gweithio fel plismones. Roeddynt yn disgwyl i mi wneud yr un prawf ffitrwydd â merch 20 oed.*

O'r ymateb yma, mae'n amlwg bod rhyw ofid nad yw dynion yn deall y menopos neu nad oes ganddynt ddiddordeb, efallai, mewn dysgu amdano a'i barchu. A yw'r menopos yn medru ymddangos fel gwendid i rai pobl, a allai greu anfantais iddynt yn y gweithle?

Ond ar y llaw arall, yn ôl un ymatebydd:

Mae'r canllawiau yn beth naturiol, blaenllaw, tebyg i feichiogrwydd.

Yn ôl Deddf Cydraddoldeb 2010, ni ellir gwahaniaethu yn erbyn menywod sy'n feichiog gan ei bod yn nodwedd warchodedig. Mae'r menopos yn rhan naturiol o gylch bywyd menyw, felly a fyddai'n gallu bod yn nodwedd warchodedig ynddi'i hun yn y dyfodol?

Mae nifer wedi nodi bod lolfa neu gaffi menopos yn y gweithle lle mae cyfle i gyd-weithwyr drafod a rhannu gwybodaeth. Ac mae hynny'n gam ymlaen.

🖊 Y meddyg

Yn ôl yr arolwg, fe aeth 63% i weld eu meddyg o ganlyniad i'w symptomau menoposaidd. Ond, yn anffodus, lleiafrif ohonynt a gafodd unrhyw wybodaeth ddefnyddiol o'u hymgynghoriad â'r meddyg.

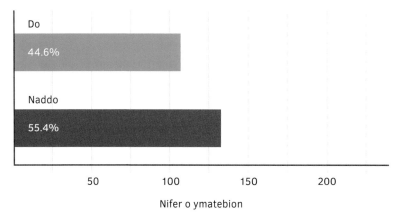

Cafodd llawer brofiad eithaf gwael gyda'r meddyg, heb fod yn siŵr ble i droi am adnoddau neu wybodaeth. Fe wnaeth nifer fawr nodi eu bod wedi cael cynnig tabledi gwrthiselder. Dyma rai ymatebion:

[Doedd y meddyg] ddim yn fy nghredu am fy mod i'n ifanc, nes i mi gael profion gwaed oedd yn cadarnhau. Meddwl falla mai problem thyroid oedd o i gychwyn gan fod y symptomau yn gallu bod yn debyg.

Very belittling. Told to just 'get on with it'.

Wedi dweud hynny, roedd ambell brofiad cadarnhaol:

Gwych, mae clinic rŵan ar ddydd Iau, unwaith y mis jyst ynglŷn â'r menopos.

Hollol iwsles y tro cynta weles i ddoctor (dyn), yr unig beth nath e gynnig oedd antidepressants. Wrthodes i. Yr ail dro es i, tua 4 mis yn ôl, roedd doctor ifanc (dyn arall) yn hyfforddi i fod yn feddyg teulu, a ges i ymateb HOLLOL wahanol... cadarnhaol, cefnogol, yn gwrando a gneud i fi deimlo 'mod i ddim 'di mynd yn cracyrs. Nath e hyd yn oed drefnu ail apwyntiad i fi, iddo fe gael neud yn siŵr ei fod e wedi darllen yr ymchwil diweddara. 'Nes i adael yr ail apwyntiad gyda presgripsiwn HRT.

O ran y feddyginiaeth a gafodd ei chynnig, mae llawer o'r blychau yn wag, ond HRT a chyffuriau gwrthiselder oedd yr opsiynau mwyaf cyffredin.

Yn gyffredinol, cafwyd profiadau cymysg iawn gyda'r meddyg ac o ran y cyngor oedd yn cael ei gynnig. Dyma rai ymatebion eraill:

*Gorfod mynd yn breifat i gael help gan fod y meddyg ddim
yn gymwys oherwydd diffyg hyfforddiant, ac roedd o leiaf
9–10 mis o aros am arbenigwr ar y GIG.*

*Cadarnhaol ar y cyfan, er nad oedd digon o amser yn
ystod yr apwyntiad iddi esbonio'r amrywiol opsiynau yn
llawn.*

*Tsiampion nes i fi ddechrau gwaedu a gorfod dod oddi
ar HRT dros nos – hunllef. Dim follow up wedyn ar ôl imi
orffen gyda'r ysbyty. Does dim cyfathrebu 'clyfar' rhwng
yr ysbyty a'r syrjeri.*

*Ddim llawer o amgyffred, a hynny wrth fenyw. Gwneud y
sylw, 'O, fel'na mae, a rhaid mynd trwyddo'.*

*Meddyg benywaidd yn warthus – dweud wrtha i am
beidio bod yn ddwl a dod 'nôl ar ôl i mi droi'n 50. 'Nes i
ddod allan yn crio a meddwl 'mod i'n mynd o 'ngho. Es
i'n ôl at y meddyg arferol gwrywaidd rhyw ddwy flynedd
yn ddiweddarach a chael llawer mwy o gefnogaeth,
gwrandawiad gofalus a chyngor defnyddiol. Fy newis i
oedd peidio â chael meddyginiaeth ar y pryd.*

*Cymysg – cynnig tabledi migraine i ddechrau, wedyn mini
pill, wedyn ar ôl cyngor gan ffrind sy'n feddyg, mynnu
cael HRT.*

*Hollol dda i ddim! Ymateb: 'That must be so annoying!' Fe
wnes i grio!*

O ran y triniaethau, cafodd 57.7% o'r rhai a aeth at y meddyg
feddyginiaeth, ond chafodd 42.3% ddim byd i leddfu eu
symptomau. HRT yw'r feddyginiaeth fwyaf poblogaidd a mwyaf
effeithiol i drin effeithiau'r menopos yn ôl yr arolwg hwn, boed
hynny ar ffurf jel, patshys neu dabledi. Nododd rhai eu bod
wedi derbyn *tranexamic acid*, coil Mirena, Femitone, Tibolone,
Estradiol a Citalopram.

5. Y partner

Roedd yr arolwg am weld hefyd a oedd symptomau'r menopos wedi effeithio ar bartneriaid ac os oeddynt, sut. Nododd 87% fod ganddynt bartner, a dywedodd y mwyafrif o'r ymatebwyr hynny fod rhyw fath o newid wedi bod yn eu perthynas dros gyfnod y menopos:

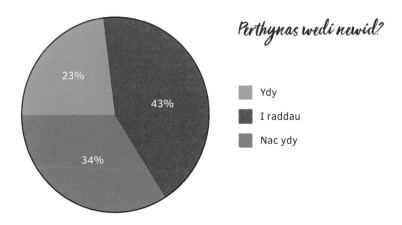

Perthynas wedi newid?

- Ydy
- I raddau
- Nac ydy

Ond, wedi dweud hyn, mae'n rhaid cofio bod sawl ffactor yn gallu effeithio ar y berthynas rhwng pobl, yn enwedig dros gyfnod o amser. Felly, mae'n anodd mesur ai'r menopos yn unig sydd yn chwarae rhan yn y data yma. Mae nifer o enghreifftiau o dor priodas, neu berthynas yn methu a phartneriaid yn gorfod gwahanu, gyda'r fenyw fel arfer yn gwneud y penderfyniad yn ystod oedran cyffredinol y menopos. Ai cyd-ddigwyddiad yw hyn?

Fe wnaeth nifer fawr nodi bod pellhau wedi bod yn y berthynas, am ba reswm bynnag, a'u bod yn cysgu mewn ystafelloedd ar wahân neu yn ymddwyn yn debycach i frawd a chwaer nag i bâr priod. Roedd diffyg diddordeb mewn rhyw hefyd yn ffactor amlwg, gyda rhai yn dweud bod y ffaith eu bod yn teimlo'n flin, neu'n ddiamynedd â'u partner, yn achosi ffrae a thensiwn, a rhai'n rhy flinedig o hyd i gael rhyw.

Gall y symptomau a'r newidiadau emosiynol gael effaith arnyn nhw eu hunain ac ar aelodau'r teulu estynedig:

Pan dwi'n rhwystredig/gwan, mae'r ffraeo yn waeth. Anodd gwneud gwaith rhedeg teulu. Dwi'n snapio ar aelodau'r teulu, a gweiddi.

Roeddwn i'n poeni am bopeth pan o'n i'n mynd drwy'r menopos, ac yn hiraethu yn ofnadwy am fy 'mhlant' ar ôl iddynt adael y nyth i fynd i'r brifysgol.

Fy mhartner yn dweud fy mod i'n llawer mwy blin.

Mewnblyg. Beirniadol. Diamynedd a gwylltio yn gacwn yn aml. Dwi'n casáu pobol. Dwi ddim isio gweld pobol, alla i ddim diodde pobol a dweud y gwir.

O bosibl yn defnyddio pob egni i gadw fynd yn y gwaith ac adre ac yn diodde o'r herwydd?

Dwi mwy distant ac yn mwynhau cwmni fy hun yn fwy nag ers talwm. Lot llai tolerant o bobl nag o'n i!

Roedd y rhan fwyaf o ymatebwyr wedi siarad â'u partner yn llwyddiannus am y menopos a'u profiadau personol. Dywed y rhan fwyaf fod eu partner yn medru gwrando arnynt a chydymdeimlo â nhw.

Atebodd 271 y cwestiwn yma:

Pa fath o ymateb gawsoch chi?

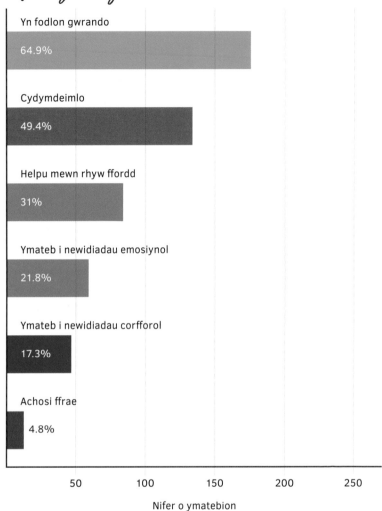

Yn fodlon gwrando
64.9%

Cydymdeimlo
49.4%

Helpu mewn rhyw ffordd
31%

Ymateb i newidiadau emosiynol
21.8%

Ymateb i newidiadau corfforol
17.3%

Achosi ffrae
4.8%

50 100 150 200 250

Nifer o ymatebion

Ac mae'n braf gweld bod modd i rai chwerthin am y menopos:

Cawson ni lot o hwyl yn gwneud limrigau am HRT.

Mae o'n dueddol o dynnu coes.

Mae o wedi prynu'r llyfr Menopausing *i fi ond heb ei ddarllen ei hun!*

Ac mae un yn dweud:

Nid lle dyn yw cael ei boeni am lol fel hyn.

Gofynnwyd y cwestiwn canlynol hefyd: Ydy'ch partner yn mynd trwy gyfnod tebyg i'r menopos ei hun (andropos)?

- Ydy – 1.7%
- Nac ydy – 52.3%
- Ddim yn siŵr – 36%

Mae'r menopos gwrywaidd, neu'r andropos, yn digwydd pan mae lefelau testosteron a hormonau eraill yn lleihau dros gyfnod o flynyddoedd wrth i ddynion heneiddio. Er nad yw'r symptomau mor amlwg nac mor ddifrifol â symptomau'r menopos, mae'n gallu effeithio ar y corff mewn modd tebyg iawn, er enghraifft libido isel, pyliau poeth, diffyg egni, trafferthion cysgu a chanolbwyntio, teimlo'n isel a diffyg hunanhyder. Mae hefyd yn gallu cynyddu braster yn y corff, gwanhau'r cyhyrau a'i gwneud hi'n anodd cael codiad.

6. Emosiynau

Fel y nodwyd eisoes, problemau emosiynol a meddyliol yw'r prif symptomau, yn hytrach na rhai biolegol a chorfforol.

Ydych chi wedi sylwi ar unrhyw newidiadau yn eich emosiynau?

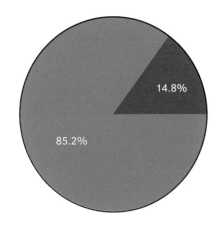

14.8%

85.2%

- Ydw
- Nac ydw

Gorbryder, teimlo'n nerfus, diffyg hunanhyder a diffyg cofio a chanolbwyntio oedd y prif effeithiau a nodwyd yn yr arolwg. Ond yn ôl rhai o'r ymatebion mae'r problemau corfforol yn arwain at broblemau iechyd meddwl:

Y blinder a'r diffyg diddordeb mewn bywyd sy waetha.

Y brain fog yn lladdfa. Wi'n actores. Erioed wedi cael trafferth 'da dysgu llinellau o'r blaen.

Rhoi pwysau 'mlaen a hynny wedyn yn arwain at broblemau meddyliol.

Teimlo'n isel iawn ar adegau o'r mis. Ond hefyd gwallt yn cwympo allan sy'n fy ngwneud yn stressed; poeni ac yn ddihyder, sy'n arwain at fod yn isel.

Mae nifer o ymatebwyr yn sôn i'r menopos newid eu personoliaeth:

Rwy fel arfer yn gyson ac yn amyneddgar, ond rwy bellach yn fwy pigog, dihyder, pryderus a diegni. Eto i gyd, mae'r menopos yn dod ag elfen o ryddid hefyd!

Dim hyder na hunan-werth o gwbl, felly ddim eisiau gweld neb.

Dwi wedi gadael swydd a dewis gwaith llai cyfrifol a heriol – a chymryd toriad cyflog.

Ond mae nifer yn gweld y menopos fel cyfnod positif, yn gyfnod i wneud newidiadau yn eu bywydau er gwell:

Llawer mwy hyderus wrth fynd yn hŷn, ond dim i'w wneud â'r menopos. Like it or lump it i fi erbyn hyn!

Wi wedi gorfod derbyn 'mod i'n edrych yn hŷn, ond wi'n teimlo'n eitha balch o fod yn fenyw ganol oed ac yn trio gwneud yn fawr o bob dydd.

Braf iawn peidio gorfod ymdopi â'r mislif a dulliau atal cenhedlu.

Dwi'n dal i drio cerdded rhywfaint bob dydd er mwyn gwneud yn siŵr 'mod i'n cael rhywfaint o ymarfer corff. Dwi hefyd wedi gwneud rhywfaint o nofio gwyllt.

Newid o yrfa straenllyd iawn i weithio'n rhan amser, wedyn yn llawrydd, gan astudio eto a gofalu am rieni. Yna ail-greu gyrfa lawrydd mewn maes arall, ar fy nhelerau fy hun. Mae'n gyfnod eitha neis, o'i gymharu â sut oedd pethau arna i ddegawd 'nôl.

Newidiadau i'm deiet, mwy o ymarfer corff, meditation, mwy o amser i ymlacio. Dwi wedi hyfforddi mewn Reiki, sy'n help.

Ac mae nifer o fenywod doeth yn darllen cylchgrawn *Cara*, mae'n rhaid, oherwydd mae nifer o gynghorion call iawn ar ddiwedd yr arolwg! Dywedodd yr un ddoethaf oll:

Darllenwch Cara*!*

Dyma rai cynghorion eraill:

Peidiwch â rhoi i mewn iddo fo! A pheidio â dioddef – does dim rhaid. Mae'n rhaid gwneud yr ymdrech, dydy ista'n gongl yn cwyno'n da i ddim.

Peidiwch digalonni, mi ddowch drwyddi!

Siarad, siarad a siarad amdano i'w normaleiddio.

Cadw nodiadau, dyddiadau ayyb – does gen i ddim syniad ers faint mae fy mislif wedi stopio.

Ystyriwch o fel tymor newydd gyda'i harddwch ei hun.

Rhoi cynnig ar ddefnyddio eli progesterone naturiol. Mi ddylai fod ar gael ar bresgripsiwn ond mae meddygon yn gyndyn iawn o'i roi. Mae rhai mathau sydd ddim yn cynnwys progesterone naturiol (mae'n cael ei tweakio er mwyn gallu cael patent a gwneud arian!).

Byddwch yn bositif – cyfnod i glirio'r crap allan o'ch bywyd a chael gwell dealltwriaeth o'ch gorffennol a'ch dyfodol.

Hold on tight... a byddwch yn barod am flynyddoedd o craziness.

Ond y gair pwysicaf o ddigon wrth roi cyngor oedd 'siaradwch'.

Casgliad

Ar y cyfan mae llawer o bositifrwydd yn dod o'r arolwg yma, yn bennaf y ffaith fod cymaint o bobl wedi dod ymlaen i rannu eu profiadau ac i siarad am y menopos: mae hyn yn gam pwysig.

Yn amlwg, mae sawl her o hyd, gan gynnwys gwella agweddau a pholisïau yn ymwneud â'r menopos o fewn y gweithle a chynnig gwell addysg ar gyfer meddygon a myfyrwyr meddygol ynglŷn â'r menopos a'r triniaethau sydd ar gael. Mae'n rhaid gwerthfawrogi cymhlethdod y menopos ym mhob achos unigol, ac mae angen gwella'r ffordd mae triniaethau ar gyfer yr unigolyn yn cael eu teilwra.

Serch hynny, mae'r ffaith fod y rhan fwyaf o bobl wedi dewis gweld eu meddyg teulu a thrafod gyda'u partner yn beth cadarnhaol tu hwnt, ac yn awgrymu bod y stigma ynglŷn â'r menopos yn dechrau lleihau.

"*Now is a time to tune in to our bodies and embrace this new chapter.*"

Kim Cattrall

Myfyrdod a'r menopos

Dr Liza Thomas-Emrus

Y menopos

Mae'r perimenopos a'r menopos yn gyfnod naturiol ac anochel ac yn arwyddocáu dirywiad atgenhedlu. Mae'r newidiadau corfforol a seicolegol sy'n digwydd yn ystod y broses yma yn gallu bod yn llethol i nifer o bobl. Mae'r symptomau yn amrywio trwy gydol cyfnod y menopos ac yn amrywio hefyd o berson i berson. Gall y symptomau effeithio ar ein hiechyd meddwl – er enghraifft, ein hwyliau, niwl yr ymennydd, y cof, y gallu i ganolbwyntio a diffyg cwsg, a hefyd ar ein hiechyd corfforol – er enghraifft, poen yn y cymalau, pwysau gwaed uchel, magu pwysau, pyliau poeth a heintiau wrinol.

Mae myfyrdod yn arfer hynafol sydd wedi cael ei ddefnyddio ers canrifoedd i dawelu ein meddwl a gwella ein hiechyd yn gyffredinol. Mae sawl ffordd i fyfyrio, ond maen nhw i gyd yn arwain at broses o hunanfyfyrdod ac o angori'n hunain i'r foment bresennol. Mae tystiolaeth yn dangos bod ymarfer myfyrdod yn aml yn lleihau straen, pryder ac iselder. Oherwydd hyn, mae'n ymarfer addas trwy gyfnod y menopos, cyfnod sydd yn aml yn creu amrywiadau emosiynol dwys wrth i'r hormonau newid.

Myfyrdod

Mae pwerau iacháu myfyrdod wedi ennyn diddordeb y gymuned wyddonol yn ddiweddar, gyda mwy a mwy o ymchwil yn cael ei wneud i ddeall yr ymarfer. Mae'r dystiolaeth yn dangos yn gynyddol bod myfyrdod yn helpu gydag iechyd meddwl ac iechyd corfforol, ac mae cryn gyffro felly ynglŷn â'i botensial i helpu cleifion i wella ansawdd eu bywydau a lleihau dioddefaint. Mae un ffaith yn gyson: mae myfyrdod yn cael effaith yn fuddiol fesuradwy ar yr ymennydd a'r corff, ac mae'n cynyddu ein hymdeimlad o les a phwrpas mewn bywyd.

Yr ymennydd wrth fyfyrio

Mae tonnau'r ymennydd yn newid gan ddibynnu ar ein meddyliau, ein teimladau a'n gweithgareddau.

Mae tonnau delta yn araf, gydag amledd (*frequency*) isel, ac yn gysylltiedig â chwsg dwfn heb freuddwydio.

Mae tonnau theta i'w gweld wrth ymlacio'n ddwfn, trwy fyfyrdod a breuddwydio, ac yn cael eu galw hefyd yn donnau creadigol.

Mae tonnau alffa i'w gweld pan ydym ar ddihun ond yn ymlacio ac mewn cyflwr myfyriol.

Tonnau beta sydd i'w gweld pan mae person yn effro. Maen nhw'n donnau cyflym, a gyda mwy o straen maen nhw'n dwysáu.

Tonnau gamma yw'r rhai mwyaf cyflym. Maen nhw'n helpu gwybodaeth i symud drwy sawl rhan o'r ymennydd ar yr un pryd ac yn fodd i ni brosesu gwybodaeth yn gyflym.

Wrth i berson fyfyrio rydym yn gweld tonnau'r ymennydd yn arafu, gyda mwy o donnau alffa i'w gweld, ac wrth gyrraedd cyflwr o fyfyrdod dyfnach mae'r tonnau theta yn cynyddu. Mae tystiolaeth yn dangos bod cynyddu'r tonnau alffa a theta yn well i'n hiechyd meddwl hirdymor.

Nid dim ond newid tonnau'r ymennydd y mae myfyrio yn ei wneud; mae sawl astudiaeth wedi dangos bod strwythur yr ymennydd ei hun yn newid hefyd. Mae myfyrio yn cynyddu niwroplastigedd – ein gallu i greu niwronau newydd wrth ymateb i brofiadau newydd. Mae ymchwil trwy ddefnyddio sgan MRI yn dangos y newidiadau hyn yn y rhannau o'r ymennydd sy'n gyfrifol am brosesau hunangyfeiriadol a hefyd yn y rhannau sy'n ymwneud â'r cof, sylw a ffocws. Trwy gyfnod y menopos mae sawl menyw yn cael anawsterau gyda'r cof, gymaint felly fel ei bod hi'n gyffredin clywed rhai pobl yn poeni eu bod nhw'n datblygu dementia. Mae'n galonogol i weld bod myfyrio yn arwain at welliant yn y rhannau o'r ymennydd sy'n gyfrifol am y cof, yn ogystal â gwella llif y gwaed ac arafu atroffi'r ymennydd. Gwelir mater llwyd yr ymennydd yn cynyddu yn y rhan flaen a'r hipocampws, sy'n arwain at y gallu i greu emosiynau positif a chyson. Mae ymarfer myfyrio cyson yn gwella ein gallu i gysgu ac ansawdd ein cwsg. Mae hyd yn oed myfyrio yn y bore yn gwella cwsg yn y nos.

Myfyrio a chlefyd y galon

Mae'r risg o ddatblygu clefyd y galon yn cynyddu gyda'r menopos. Mae sawl astudiaeth wedi dangos bod myfyrio yn lleihau'r pwysau gwaed os bydd person yn ymarfer yn aml dros o leiaf wyth wythnos. Mae Cymdeithas y Galon America, ar ôl edrych ar dros 400 darn o waith ymchwil cyhoeddedig, yn argymell myfyrio i leihau'r risg o gael clefyd y galon. Dr Herbert Benson, yn ôl yn y 1970au, oedd y cyntaf i ddangos bod myfyrio yn achosi i'r system nerfol barasympathetig arafu ein hanadl a churiad y galon, yn lleihau pwysau gwaed ac yn gymorth i iacháu'r broses dreulio.

Myfyrio a phyliau poeth

Mae sawl astudiaeth erbyn hyn yn cyflwyno canlyniadau clinigol arwyddocaol sy'n dangos bod myfyrio yn gallu helpu i leihau pyliau poeth a chwysu yn y nos, a hefyd yn ein helpu i ymdopi â'r symptomau hyn. Mae sawl person yn nodi bod pyliau poeth a chwysu yn gysylltiedig ag emosiynau negyddol, gan gynnwys pryder a chywilydd, a hefyd yn anghyfleus o ystyried cymaint o gyfrifoldebau sydd gan fenywod fel arfer trwy gyfnod y menopos, fel gofalu am blant, rhieni sy'n heneiddio, a hwythau o bosib ar anterth eu gyrfa. Mae myfyrdod yn ein helpu i boeni llai am y cyfrifoldebau eraill a ffocysu ar y foment bresennol, i anadlu trwy'r pyliau ac i leihau'r straen.

> **TIP**
>
> Gwnewch ymarfer corff yn gyson er mwyn lleihau pyliau poeth a straen, gan gynnwys codi pwysau.

Myfyrio a llesiant

Gydag ymarfer cyson, mae'r ymdeimlad o fod yn gysylltiedig â'r bobl sydd o'n cwmpas ni yn cynyddu, a theimladau o unigrwydd yn lleihau. Mae'n datblygu ymwybyddiaeth o'n meddyliau ac yn ein helpu ni i symud tuag at batrwm meddwl mwy positif.

I gloi, dim ond rhai o fanteision myfyrio sydd wedi eu disgrifio yma ond, yn sicr, gallwn ei ychwanegu'n ddiogel at gynllun trin symptomau'r menopos. P'un a ydych yn dioddef symptomau corfforol neu rai sy'n ymwneud â'ch iechyd meddwl, gall myfyrio yn aml eich helpu i deimlo mwy o lonyddwch ac i flaenoriaethu hunanofal. Cofiwch fod yn amyneddgar gyda chi'ch hun a dechrau ag ychydig funudau bob dydd. Gydag ymarfer cyson, yn fuan byddwch yn sylwi ar newidiadau positif fel ymdeimlad o reolaeth ac ailgysylltu â chi'ch hunan.

Tips i ddechrau myfyrio

Os yw myfyrio yn rhywbeth newydd i chi gall deimlo yn anghyfarwydd ac yn anghyfforddus, ond gydag ymarfer cyson fe ddaw yn fwy naturiol. Dilynwch y tips yma i ddechrau eich ymarfer myfyrdod:

1. Ffeindiwch le tawel a chyfforddus lle na fydd neb yn torri ar eich traws. Gall fod yn gornel ystafell neu'n sedd gyfforddus. Rydw i'n defnyddio clustog ar y llawr ar bwys ffenest a blanced dros fy ysgwyddau.

2. Eisteddwch yn gyfforddus – does dim rhaid croesi eich coesau! Ymlaciwch eich cefn a'ch ysgwyddau.

3. Caewch eich llygaid a dechrau gyda sawl anadl ddofn ac araf. Rhowch eich ffocws ar ddilyn yr anadl yn symud i mewn ac allan o'r corff.

4. Dychmygwch eich bod chi yng nghanol eich ymennydd yn gwylio eich meddyliau yn symud heibio. Does dim angen clirio'r meddyliau, dim ond eu hannog nhw i symud heibio heb eu dilyn.

5. Os ydych yn sylwi eich bod yn dilyn un o'r meddyliau, tynnwch eich sylw yn ôl at yr anadl.

6. Gallwch roi ffocws ar yr anadl wrth ymlacio un rhan o'r corff ar ôl y llall, gan ddechrau gyda'r pen ac yna symud yr holl ffordd i lawr i'r traed.

7. Gallwch ystyried dilyn myfyrdod dan arweiniad, er enghraifft 'Pause for the Menopause' ar y sianel YouTube *Revive, Prescribed Meditation*.

"Dwi'n marw?!"

Heulwen Ann Davies

Methu cysgu. Dal methu cysgu. Dyma'r ddegfed noson yn olynol… eto! Mynd i'r swyddfa, gosod y *sofa bed*, falle bydd gofod gwahanol yn helpu? Troi a throsi, diflasu. Golau coch *standby* fy nghyfrifiadur yn denu fy llygad ac yn sydyn, o nunlle, dwi fel tarw yn gweld golau coch; fy nghalon yn rasio mor gyflym â hen gar rali fy mrawd. Trafferth anadlu. Colli golwg yn llwyr. Ydw i'n cael trawiad ar y galon? Dwi'n marw?!

Llusgo fy hun ar fy mhedwar ar hyd y llawr. Popeth yn ddu. Dilyn y *skirting board* i fy ystafell wely drws nesaf lle mae Gareth y gŵr yn cysgu. Fy mrest yn dynn. Sŵn udo yn griddfan o 'nghorff. Colli rheolaeth yn llwyr. Siglo'n eithafol fel dillad tamp mewn hen *tumble dryer* sigledig.

Y peth nesaf dwi'n gofio ydy eistedd ar y gwely yn dal llaw Gareth mor dynn nes bod fy ngwinedd wedi suddo i mewn i'w groen. Dilyn ei gyfarwyddiadau, anadlu i mewn a chyfri i bump, anadlu allan. Roedd fy udo wedi deffro Elsi'r ferch yr ochr arall i'r tŷ. O'n i'n methu edrych arni, o'n i mewn stad ofnadwy. Am y tro cyntaf erioed, do'n i ddim am iddi fy ngweld i. Yn ffodus, dydy hi'n cofio dim am hyn.

Pwl o banig. Do'n i erioed wedi profi'r fath beth. O'n i'n wan, yn methu stopio crio am ddyddie.

Wrth edrych yn ôl, do'n i heb gysgu'n iawn ers dros ddwy flynedd. O'n i'n colli 'ngwallt i'r fath raddau roedd fel petai llygoden ar lawr y gawod efo fi bob tro. O'n i'n cael pyliau o golli hyder, ac weithie roedd llais yn fy mhen ganol nos yn dweud wrtha i am redeg i ffwrdd neu frifo fy hun, gan nad o'n i'n ddigon da. Yn ffodus, o'n i'n gryfach na'r llais yna. Be sy'n digwydd i fi?!

"You need antidepressants" oedd ymateb y meddyg ar y ffôn.

Na, dwi'n gwybod nad iselder ydy hyn.

"I think I may be menopausal," medde fi.

"You're far too young!"

"But some women start in their twenties," medde fi.

"We're not qualified to diagnose this. I'll refer you to a consultant, it's at least a nine month wait."

"I can't wait, I'm really struggling."

"You'll need to go private then."

Iawn, diolch am ddim byd, sortia i o fy hun!

Y diwrnod wedyn, ges i apwyntiad Zoom efo ymgynghorydd menopos o Loegr. Dynes hyfryd, yn gwybod ei stwff ac mor glên.

"Heulwen, you are perimenopausal. Your body is working and telling you that you need help, you need hormones to bring Heulwen back!"

Haleliwia, dwi ddim yn marw. Dwi'n normal!

Wnes i ddewis mynd ar HRT yn syth. Nid tabledi fel ro'n i wedi dychmygu, ond patshys tryloyw sy'n eistedd yn daclus ar fy mhen ôl! Ond dydy'r HRT heb fod yn fêl i gyd. Dwi'n dal i fagu pwyse er gwaethaf fy ymarfer corff a dilyn deiet da; mae'r bol yn chwyddo ond yn well ers dileu glwten a chynnyrch llaeth. Dwi'n dal i gael ambell ddiwrnod heriol, ond ar y cyfan mae Heulwen yn ôl i normal 99% o'r amser ar hyn o bryd! Pan mae fy 'mêt' Peri yn trio'i lwc, dwi'n gwybod sut i'w handlo fo. Dwi'n adnabod ei antics yn dda erbyn hyn ac mae Heulwen yn lot cryfach na fo!

Do'n i erioed wedi clywed am y perimenopos cyn yr alwad ffôn efo'r ymgynghorydd ym mis Mai 2022. Pam? Soniodd yr ymgynghorydd fod y perimenopos yn gallu para deg mlynedd cyn i'r menopos gyrraedd! Hwrê?!! Mae angen inni siarad amdano a sylweddoli nad *hot flushes* a diwedd y mislif ydy dechrau'r menopos – dwi heb gael y fraint o brofi *hot flush* eto, mae fy mislif i fel watsh y rhan fwyaf o'r amser a dwi eisoes wedi bod ar siwrne. A megis dechrau yw hyn!

Dwi'n siarad am y peth efo pawb. Mae pob cleient sydd gen i, dieithriaid a'r gyrrwr bws drws nesaf hyd yn oed, yn gwybod am y peth! Mae Elsi, sy'n 11 oed, yn dipyn o arbenigwr rŵan hefyd! Rhannwch efo pawb a chofiwch ddiolch i'ch corff am ei fod o'n gweithio ac mor glyfar hefyd. Fel mae'r gŵr yn dweud, "Chi ferched yn mynd trwy *hell*!" Yden, ryden ni'n anhygoel! Cymerwch hi un dydd, un awr ac un funud ar y tro pan mae angen. Mae hyn i gyd yn normal a dydech chi ddim ar ben eich hun.

TIP
Defnyddiwch driniaeth sgalp
pen yn rheolaidd i annog gwallt
newydd i dyfu.

Dyw menywod pwerus ddim yn
cael pyliau poeth. Maen nhw'n
cael pyliau llawn pŵer.

Wariars y menopos

Carolyn Harris AS

Sut allwch chi ddatrys problem pan na wyddoch fod y broblem honno'n bodoli yn y lle cyntaf? Dyna brofiad nifer fawr o fenywod sy'n mynd drwy'r menopos. Sut mae disgwyl i ni adnabod symptomau'r menopos pan nad oes gan y rhan fwyaf ohonon ni syniad beth ydyn nhw na sut maen nhw'n edrych?

Mae menywod yn wynebu loteri cod post o ran cael gwybodaeth, triniaeth a chefnogaeth drwy'r menopos. Mae meddygfeydd yn ardaloedd lleiaf difreintiedig y Deyrnas Unedig yn gwario tair gwaith yn fwy ar Therapi Adfer Hormonau (HRT) o'i gymharu â meddygfeydd yn yr ardaloedd mwyaf difreintiedig, a does gan fenywod o'r gymuned sy'n hanu o dde-ddwyrain Asia ddim hyd yn oed enw am y menopos.

Dim ond nawr, flynyddoedd ar ôl i mi fynd drwyddo, dwi'n sylweddoli bod fy mhrofiad i o'r menopos wedi cael ei effeithio gan yr anghyfartaledd yma. Cefais fy magu mewn cymuned ddosbarth gweithiol lle roedd y gair 'change' yn cael ei yngan mewn lleisiau bach, ac i rai, dim ond menywod posh oedd yn dioddef ohono. Petawn i'n gwybod bryd hynny yr holl ffeithiau dwi'n eu gwybod nawr byddai pethau wedi bod yn wahanol i mi. Ond ar ôl colli fy mab a mynd trwy gyfnod o alaru dwys, fe wnes i gamgymryd fy menopos am *nervous breakdown*. Ar ôl deuddeg mlynedd o fod ar gyffuriau gwrthiselder dwi'n dilyn trefn HRT sy'n gweithio i mi, ac yn ymladd i godi ymwybyddiaeth o'r menopos fel nad oes rhaid i unrhyw un ddioddef mewn tawelwch.

Ar bwy mae'r menopos yn cael effaith?

Mae 51% o'r boblogaeth naill ai wedi bod drwy'r menopos, yn mynd drwyddo ar hyn o bryd neu am fynd drwyddo, ond bydd 100% o bobl yn cael eu heffeithio gan fenywod peri/ menoposaidd. Mae'r menopos yn effeithio ar bob rhan o fywyd menyw, gan gynnwys y partner, bywyd teuluol, y gweithle a'i mynediad at ofal iechyd digonol. Cydnabod hyn yw'r cam cyntaf pwysig i'r cyfeiriad cywir.

Ond mae'r amser i gydnabod a deall wedi dod i ben. Mae hi nawr yn amser i weithredu.

Y frwydr am fynediad teg at HRT

Mae'r menopos yn digwydd flwyddyn ar ôl eich mislif olaf – mae'r ofarïau yn rhoi'r gorau i greu wyau, a'r corff yn creu llai o oestrogen, progesteron a thestosteron. Mae menywod yn gallu datblygu symptomau ymwthiol, o chwysu yn y nos a diffyg cwsg i ymennydd niwlog a libido gwan – pob un oherwydd cwymp yn lefel hormonau'r corff. Mae menywod yn byw yn hirach nag erioed ac yn treulio canran uwch o'u bywydau heb yr hormonau angenrheidiol yma. HRT yw'r driniaeth fwyaf effeithiol ar gyfer symptomau'r menopos ac ar gyfer ailgydbwyso'r hormonau.

Ond dim ond 14% o fenywod menoposaidd y Deyrnas Unedig sy'n gallu cael triniaeth ar gyfer y menopos. Mae hyn yn warthus, a dyna pam roedd y Bil Aelod Preifat a gyflwynais yn San Steffan yn 2021 yn gofyn am wneud presgripsiwn HRT ar y Gwasanaeth Iechyd yn rhad ac am ddim yn Lloegr, fel oedd eisoes yn digwydd yng Nghymru, yr Alban a Gogledd Iwerddon. Ar ôl aros am amser hir, o'r diwedd daeth y Dystysgrif Rhagdalu HRT (HRT Prepayment Certificate) i rym ym mis Ebrill 2023. Mae hyn yn galluogi menywod yn Lloegr i dalu tâl blynyddol o £19.30 i gasglu dos blwyddyn o HRT pan mae'n gyfleus iddyn nhw, gan ddileu'r rhwystr ariannol roedd nifer yn ei wynebu wrth gael mynediad at driniaeth.

Mae hyn yn ddechrau, ond mae ffordd bell iawn i fynd. Y cam nesaf i mi yn fy ymgyrch yw ymladd dros gydraddoldeb cenedlaethol i rai sydd angen HRT, gan sicrhau bod yr un cynnyrch ar gael i bawb. A dwi'n methu aros i ddechrau'r frwydr i drwyddedu testosteron ar y Gwasanaeth Iechyd Gwladol. Mae'n hollol wirion fod menywod menoposaidd yn colli tri hormon ond nad yw'r Gwasanaeth Iechyd ond yn gallu rhoi dau yn ôl.

Y menopos yn y gweithle ac yn y gweithlu

Mae 10% o fenywod yn gadael eu swydd, mwy na hynny yn cwtogi eu horiau gwaith a nifer uwch eto yn gwrthod mynd am ddyrchafiad, oherwydd y menopos. Mae'r gweithlu yn colli menywod sydd ar frig eu gyrfa ac mae hyn yn her anferth i'r economi, ond mae'r aberth y mae'r menywod yma yn gorfod ei wneud oherwydd eu symptomau a'r diffyg cefnogaeth i'r menopos yn y gweithle yn llawer iawn gwaeth.

Dylai menywod sy'n mynd drwy'r menopos gael cymorth o fewn y gweithle. Mae'n bosib gwneud hynny drwy roi'r dewis iddyn nhw weithio oriau hyblyg, cael cyfnod salwch oherwydd symptomau'r menopos, darparu cyfleoedd i dderbyn addysg a hyfforddiant, a thrwy ddatblygu diwylliant o gynnig cefnogaeth yn y gweithle. Mae'r rhain i gyd yn argymhellion a wnaethpwyd gan y Pwyllgor Dethol Menywod a Chydraddoldeb dwi'n rhan ohono, ond a wrthodwyd gan y Llywodraeth yn San Steffan gan eu bod o'r farn fod polisi menopos parod i gyflogwyr yn rhywbeth 'nad oes ei angen ar hyn o bryd'.

Ond i fenywod yn y byd gwaith mae pob newid, er eu bod yn ymddangos yn fach i'r cyflogwr, yn gallu gwneud byd o wahaniaeth. Byddai newidiadau fel cael gwisgoedd ysgafnach, trowsusau tywyll i guddio unrhyw batshys gwlyb, ffaniau awyru a'r modd i reoli tymheredd yr ystafell i gyd yn gwella ansawdd bywyd yn y gweithle. Rhaid sicrhau bod pob menyw yn cael cefnogaeth, beth bynnag yw ei swydd.

Y menopos a meddygon teulu

Mae'n rhaid i ddarpar feddygon gael eu dysgu i adnabod a thrin y menopos, a dylai doctoriaid profiadol hefyd gael hyfforddiant rheolaidd ar y menopos fel rhan annatod o'u datblygiad proffesiynol parhaus. Ond nid dyma'r sefyllfa sydd ohoni yn anffodus. Dangosodd ymchwil yn 2021 nad oedd gan 41% o ysgolion meddygol unrhyw fath o hyfforddiant gorfodol ar y menopos. Mae hyn yn anghredadwy. Mae'n golygu nad oes gan lawer o feddygon teulu unrhyw ddealltwriaeth o sut i adnabod y menopos, heb sôn am driniaeth HRT. Mae darparu addysg well i'n gweithwyr iechyd proffesiynol yn hanfodol er mwyn symud tuag at gymdeithas sydd â gwell dealltwriaeth a chefnogaeth i fenywod sy'n mynd drwy'r menopos.

Symud y chwyldro menopos ymlaen

Wrth i ni ymladd dros fynediad cyfartal at HRT, gwell cefnogaeth yn y gweithle a mwy o hyfforddiant i feddygon, mae yna gymaint mwy o agweddau i fywyd menyw lle mae'n rhaid gwella'r amodau. Dyna pam y bydda i'n dal i frwydro, gyda'r holl wariars menopos gwych eraill, am well cefnogaeth i bawb sy'n cael eu heffeithio gan y menopos – ar draws y Deyrnas Unedig a thu hwnt.

O'r mislif i'r menopos

Eluned Morgan,
y Gweinidog Iechyd a Gwasanaethau Cymdeithasol

Mae'r sylw cynyddol i chwaraeon menywod yn ddiweddar wedi bod yn galonogol iawn. Mae gweld ein hathletwyr benywaidd gorau yn mynd o fod yn gymharol ddieithr inni i fod yn enwau cyfarwydd, a'u gweld yn cael cydnabyddiaeth o'r diwedd am eu talent a'u gwaith caled wedi grymuso menywod a merched ar hyd a lled y wlad.

Ond er bod chwaraeon menywod yn cael sylw o'r diwedd ar y teledu ac yn y cyfryngau, mae diffyg trafodaeth onest o hyd am yr heriau ychwanegol y mae menywod yn y byd chwaraeon yn eu hwynebu o gymharu â dynion. Er bod angen i athletwyr elît sy'n cystadlu mewn twrnameintiau mawr fod yn y cyflwr corfforol a meddyliol gorau posib am ddyddiau neu wythnosau ar y tro, prin iawn y clywn ni drafodaeth agored am effaith cylch y mislif arnyn nhw.

Mae hyn yn adlewyrchiad o gymdeithas lle mae pethau'n bell o fod yn gyfartal rhwng y ddau ryw, er ein bod ni'n cymryd camau breision mewn llawer o ffyrdd. Fel llywodraeth, mae'n rhaid inni ddefnyddio'n pwerau i sicrhau cydraddoldeb ym mhob agwedd o fywyd, er mwyn helpu i sicrhau nad yw menywod yn cael eu rhwystro gan stigma neu stereoteip.

I roi rhai enghreifftiau: ers 2018 ry'n ni wedi buddsoddi oddeutu £12 miliwn i sicrhau bod pobl ifanc a phobl ar incwm isel yn gallu cael gafael ar gynhyrchion mislif am ddim; ac mae ein Strategaeth Trais yn erbyn Menywod, Cam-drin Domestig a Thrais Rhywiol yn helpu i sicrhau mai Cymru yw un o'r llefydd mwyaf diogel yn Ewrop i fod yn fenyw. Hefyd, ry'n ni'n gweithio i sicrhau bod ein prosesau o ran y gyllideb a threth yn ystyried anghenion o safbwynt y rhywiau ac yn mynd i'r afael â'r ansicrwydd economaidd y mae menywod yn aml yn ei wynebu.

Mae diffyg cydraddoldeb rhwng y rhywiau mewn gofal iechyd yn gallu bod yn rhwystr gwirioneddol i fenywod rhag cael y gofal a'r cymorth maen nhw eu hangen i gael iechyd gwell. Mae ymchwil gan Sefydliad Prydeinig y Galon yn awgrymu y byddai wedi bod yn bosib atal marwolaethau o leiaf 8,000 o fenywod yng Nghymru a Lloegr dros gyfnod o ddeng mlynedd drwy sicrhau tegwch mewn triniaeth gardiaidd. Yn anffodus, gwyddom fod lefelau tebyg o anghydraddoldeb rhwng y rhywiau mewn sawl maes gofal iechyd.

Mae nifer o gyflyrau, gan gynnwys asthma a chlefyd yr esgyrn, lle bydd menywod yn cael symptomau gwahanol i ddynion, neu'n cael eu heffeithio'n anghymesur. Mae anghenion gwahanol yn codi hefyd oherwydd ethnigrwydd, anabledd, beichiogrwydd a mamolaeth, a rhaid i'r Gwasanaeth Iechyd Gwladol fedru trin pobl o amryw o gefndiroedd a phrofiadau yn briodol i gael y canlyniadau gorau posib.

Fel Gweinidog Iechyd Cymru, dyma rywbeth rwy'n benderfynol o fynd i'r afael ag e.

Ry'n ni'n newid y ffordd mae gofal iechyd i fenywod yn cael ei ddarparu, er mwyn iddyn nhw allu cael gofal yn brydlon. Ry'n ni eisiau Gwasanaeth Iechyd sy'n ymateb i ddewisiadau ac anghenion menywod, a lle mae'r ymchwil a'r datblygiadau'n adlewyrchu eu profiadau go iawn.

Drwy ein Grŵp Gweithredu ar Iechyd Menywod, ry'n ni wedi cyflwyno nyrsys endometriosis arbenigol a chydlynwyr iechyd a lles y pelfis ym mhob Bwrdd Iechyd yng Nghymru, sy'n cefnogi menywod drwy eu diagnosis a'u triniaeth.

Mae'r adnodd 'Mislif Fi', sy'n gwella ymwybyddiaeth o'r mislif, wedi cael sylw gan wledydd ar draws Ewrop, yn ogystal â Tsieina a'r Unol Daleithiau, sy'n dangos y gall Cymru gynllunio a darparu adnoddau i fenywod gystal ag unrhyw wlad arall yn y byd.

Ry'n ni'n darparu cyllid ar gyfer tîm iechyd meddwl amenedigol (*perinatal*) ym mhob Bwrdd Iechyd. Yn ogystal, ry'n ni'n datblygu gwasanaeth cleifion mewnol arbenigol i famau yn y gogledd, yn ychwanegol at yr uned arbenigol sydd wedi'i sefydlu eisoes yn y de.

Ry'n ni wedi penodi arweinydd clinigol ar gyfer gynaecoleg ar draws Cymru er mwyn gwella gwasanaethau, lleihau amseroedd aros a gwella canlyniadau i gleifion.

Ac wrth gwrs, diolch i'n hymrwymiad i roi presgripsiynau am ddim yma yng Nghymru, mae Therapi Adfer Hormonau (HRT) wedi bod ar gael am ddim i fenywod yng Nghymru ers 2007.

Mae'r menopos a'i symptomau wedi bod yn bwnc tabŵ ers yn llawer rhy hir. Mae'n bryd i hynny newid. Mae'r menopos yn rhan naturiol o'r broses heneiddio i fenywod. I rai, mae'n gyfnod diffwdan nad yw'n cael effaith sylweddol ar eu bywydau personol na'u gwaith. Ond i eraill, mae'n gallu bod yn gyfnod hir ac anodd sy'n golygu bod angen cymorth ychwanegol arnyn nhw. I fenywod sy'n mynd drwy'r menopos, mae'n hanfodol bwysig iddyn nhw'n bersonol, yn ogystal ag i'w teuluoedd ac i gymdeithas, bod eu symptomau'n cael eu hadnabod a'u rheoli'n brydlon er mwyn osgoi unrhyw effeithiau negyddol ar eu lles a'u bywydau bob dydd.

Yng nghyfarfod cyntaf Tasglu'r Deyrnas Unedig ar y Menopos fis Chwefror y llynedd, fe wnes i ymrwymo i wneud yn siŵr bod gofal menopos o safon gyson uchel ar gael i bawb yng Nghymru. Ers hynny ry'n ni wedi adeiladu ar yr ymrwymiad hwnnw drwy ddod â gweithwyr iechyd proffesiynol ynghyd, yn ogystal â lleisiau cleifion a'r cyhoedd, i gynghori ar welliannau i'r ffordd y bydd GIG Cymru'n cefnogi menywod sy'n mynd drwy'r menopos.

Bydd yr argymhellion hyn i wella gofal, triniaeth a chymorth ar gyfer y menopos yn cael eu datblygu fel rhan o gynllun deng mlynedd ar gyfer iechyd menywod rydw i wedi gofyn i GIG Cymru ei gynllunio a'i ddarparu. Bydd y cynllun yn defnyddio dull bywyd cyfan i sicrhau bod gwasanaethau iechyd o ansawdd uchel yn cael eu darparu i fenywod drwy gydol eu bywydau.

Yn hanesyddol, mae menywod hefyd wedi bod dan anfantais o ganlyniad i ddiffyg ymchwil i'r cyflyrau sy'n effeithio arnyn nhw, neu gyflyrau lle mae eu symptomau a'u harwyddion clinigol yn wahanol i rai dynion. I fynd i'r afael â hyn, ry'n ni'n edrych ar y posibilrwydd o greu Cronfa Ymchwil Iechyd Menywod i gefnogi cyfleoedd i wneud gwaith ymchwil lle gwyddom fod bylchau mewn gwybodaeth. Bydd hyn yn helpu i ddarparu gofal o ansawdd uchel sy'n seiliedig ar dystiolaeth.

Mae'r datblygiadau hyn yn dangos ein bod yn benderfynol o sicrhau bod menywod yn cael y gofal a'r gefnogaeth angenrheidiol gan y gwasanaethau iechyd yng Nghymru.

Bydd profiad pob menyw o'r menopos yn wahanol, ond mae'n rhaid inni sicrhau bod safonau gofal cyson uchel ar gael i bawb.

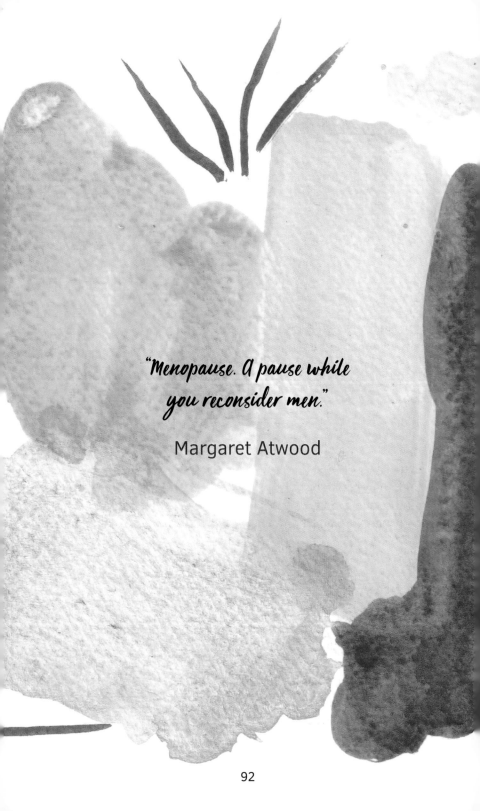

"Menopause. A pause while you reconsider men."

Margaret Atwood

Y menopos a fi

Amanda James

Ro'n i'n methu'n deg â deall beth oedd yn bod ar y teledu'r bore hwnnw, a finnau ar hast i fynd i'r gwaith, ond eisiau gweld y newyddion yn ôl fy arfer. Ond y bore hwnnw, roedd 'na broblem. Ro'n i'n gwasgu'r switsh ar y teclyn rheoli, ei bwyntio at y teledu, ond doedd dim byd yn digwydd. Dim un arwydd i ddweud bod y teledu ar fin dod ymlaen.

Beth ar y ddaear sy'n bod 'ma heddi, meddyliais. Edrychais ar y teclyn gyda llygaid ffres a dyna fe! Roedd yr ateb o flaen fy llygaid. Nid y teclyn bach ro'n i'n ei ddal. O na, ro'n i'n trio troi'r teledu ymlaen gyda fy sythwr gwallt! Glywoch chi shwt beth erioed? Roedd rhaid i mi rannu'r stori gydag Alun (fy mhartner) a fy ffrindiau, ac roedd yn destun chwerthin am dipyn ar ôl hynny!

Ddim dyna'r tro cyntaf i fi wneud rhywbeth cwbl wirion. Dros y ddwy flynedd ddiwethaf roedd Alun ar bigau drain yn y car gyda fi (fi sydd o hyd yn gyrru, gyda llaw), yn enwedig wrth i ni agosáu at gyffordd, neu oleuadau traffig. Pam? Wel, fwy nag unwaith mae Alun wedi bod yn dyst i fi'n aros o flaen golau gwyrdd ("It's on green, Amanda!"), ac yn paratoi i fynd drwy'r golau coch (gallwch ddeall yn iawn ei fod e ddim cweit mor gymedrol bryd hynny – mae'r aer wedi bod yn las!).

Dwi'n gweithio i fi fy hun, ac yn anffodus (neu falle'n ffodus?), mae'r 'niwl' sydd wedi disgyn yn fy mhen wedi effeithio ar fy myd proffesiynol. Yn ddiweddar, gwariais dipyn o arian ar gynhwysion i'm cynnyrch. Y peth rhyfedd oedd, wythnos wedyn, cefais yr un archeb drwy'r post eto. Ar ôl gwirio ar y cyfrifiadur, ro'n i wedi archebu'r un pethau am yr ail dro, heb gofio 'mod i wedi gwneud hynny'n barod! Dau focs enfawr o gŵyr soi? Mam fach!

Roedd y digwyddiadau yma, a dwsinau o ddigwyddiadau eraill, wedi gwneud i fi ofidio cryn dipyn am yr hyn oedd yn digwydd i fi. Ar ôl bod yn berson trefnus ac ymarferol tu hwnt, ac yn yrrwr hyderus, dwi nawr yn rhywun allwch chi ei ddisgrifio fel person braidd yn *dizzy*! Ro'n i'n methu'n deg â deall beth oedd yn bod, a pham, yn sydyn reit, ro'n i wedi mynd o fod yn berson oedd â phob dim dan reolaeth i fod yn chwit-chwat! Ar un adeg, roedd gen i gonsýrn bod dementia arna i. Yn wir, fe wnes i droi at Doctor Gwgl yn go aml, i weld ai dyma'r symptomau oedd yn dynodi dechreuad dementia cynnar. Doedd y cyflwr ddim yn y teulu, ond efallai mai fi fyddai'r un gyntaf i ddioddef ohono?

Diolch byth, ro'n i hefyd wedi dechrau ymchwilio i symptomau'r menopos a'r perimenopos. Ro'n i yn fy mhedwardegau hwyr, ac roedd fy mislif wedi bod braidd yn afreolaidd ac, yn amlwg, dyma beth oedd yr esboniad. Ffiw!

Wrth i mi ymchwilio mwy des i i ddeall taw'r ddau hormon, testosteron ac oestrogen, sydd ar fai. Mae'n debyg bod y perimenopos yn achosi i lefelau'r ddau ddisgyn, gyda'r sgileffaith o achosi anghofio, diffyg ffocws, anawsterau wrth ddefnyddio geiriau cyffredin, a drysu'n hawdd. Yn anffodus, y 'niwl' yma yw un o symptomau llai adnabyddus y perimenopos a'r menopos ac mae'n naturiol i'r unigolyn sy'n dioddef amau'r gwaethaf: dementia.

Yn ddiweddar, cyhoeddwyd erthygl ar wefan Wales Online am y 'niwl' hwn yn yr ymennydd, gyda chyngor meddygol gan Dr Asha Kasliwal o Ymddiriedolaeth Sefydledig GIG Prifysgol Manceinion (Manchester University NHS Foundation Trust). Dwedodd hithau fod Therapi Adfer Hormonau (HRT) ddim o reidrwydd yn cynnig gwellhad o'r symptomau yma, ond y gallai ysgafnhau rhai o symptomau'r perimenopos a'r menopos, er enghraifft trwy gysgu'n well, sy'n cael effaith bositif ar yr unigolyn.

Mae'n mynd ymlaen i argymell bwyta deiet Môr y Canoldir, sy'n cryfhau'r corff a'r ymennydd. Felly, mae angen bwyta llawer mwy o bysgod sy'n llawn olew, ffrwythau ffres a llysiau, a bwyta llai o fwyd sy'n cynnwys llawer o siwgr.

Yn ogystal, dywed Dr Kasliwal fod lleihau straen yn hanfodol ac mae'n awgrymu bod cymdeithasu'n bwysig, yn ogystal ag ymlacio, creu rhestr o bethau sydd angen eu gwneud a rheoli amser.

TIP

Beth am ddefnyddio'ch ffôn i greu larwm i'ch atgoffa o rywbeth?

Wrth fynd drwy'r cyfnod ansicr yma, mae'n amlwg bod rhaid inni ailfeddwl am sut rydyn ni'n ymdopi â'r newidiadau i'n cyrff. Does dim byd yn annaturiol yn yr hyn rydyn ni'n ei brofi. Mae'n bwysig cofio bod symptomau'r perimenopos a'r menopos yn eang ac, yn aml, heb lawer o wybodaeth amdanyn nhw.

Felly, byddwch yn garedig â chi'ch hun. Cymerwch yr amser i ymlacio, sbwyliwch eich hun gyda bwydydd sy'n dda i chi, a dibynnwch yn fwy ar restrau i'ch helpu chi i gael rheolaeth ar bethau unwaith eto.

A pheidiwch mynd yn grac os nad yw'r teledu'n dod ymlaen i glic y sythwr gwallt!

• 'Lesser-known symptom of menopause highlighted by doctor' – walesonline.co.uk

Weithiau, y cwbl sydd ei angen yw gorwedd ar
y llawr a gwneud dim byd am dri diwrnod.

Y menopos yn y gweithle

Mae sawl arolwg am y menopos yn y gweithle wedi ei gynnal dros y blynyddoedd diwethaf, sydd ynddo'i hun yn dangos pa mor bwysig yw hi bod menywod yn cael eu trin yn deg gan eu cyflogwyr a'u cyd-weithwyr. Cyhoeddwyd arolwg gan raglen *Y Byd ar Bedwar* ITV Cymru/Wales, a ddangosodd, er enghraifft, fod bron 35% o fenywod wedi ystyried gadael eu swydd oherwydd effeithiau'r menopos, gyda 63% yn nodi bod eu symptomau wedi cael effaith negyddol ar eu gwaith, a hynny am sawl rheswm. Felly, mae'r drafodaeth wedi dechrau, a chyflogwyr yn dechrau sylweddoli pa mor bwysig yw hi i newid er mwyn i fenywod menoposaidd gael chwarae teg yn ystod eu horiau gwaith.

Mae'n anodd cwyno a chodi llais, ond mae'n hollbwysig gwneud hynny. All cyflogwyr ddim newid y sefyllfa yn y gweithle os nad ydyn nhw'n deall y problemau a'r rhwystrau sy'n wynebu menywod. Os ydych chi'n teimlo rhagfarn yn eich erbyn, rhaid i chi gofnodi pob peth sy'n codi – o sgyrsiau unigol i e-byst – unrhyw beth sy'n mynd i helpu'ch achos. I ddechrau, rhaid ceisio datrys y problemau o fewn y gweithle gyda'ch cyd-weithwyr neu gyflogwyr drwy siarad. Os na fydd hynny'n gweithio rhaid ysgrifennu cwyn ffurfiol ac mae cyfreithwyr cyflogaeth arbenigol ar gael i'ch cynghori. Pen draw'r sefyllfa yw mynd â'r cyflogwr i'r tribiwnlys.

Yn 2016, cynhaliodd TUC Cymru arolwg mawr o bron i 4,000 o weithwyr ar y mater hwn. Canfu fod bron i 9 o bob 10 o'r rhai oedd â phrofiad uniongyrchol o'r menopos yn teimlo ei fod yn cael effaith ar eu bywyd gwaith. Fe wnaeth nifer sylweddol o'r rhai a ymatebodd i'r arolwg ddatgan eu bod wedi gweld y menopos yn cael ei drin yn negyddol neu fel jôc o fewn eu gweithleoedd.

Dangosodd yr arolwg hefyd mai nifer fach iawn o weithleoedd, yn anffodus, sydd â pholisïau yn eu lle i gefnogi menywod sy'n profi anawsterau yn ystod y menopos. Mae angen i hyn newid.

Undebau llafur

Mae gan yr undebau rôl allweddol i'w chwarae wrth godi ymwybyddiaeth o'r menopos fel mater o iechyd galwedigaethol yn y gweithle.

Cydraddoldeb

Mae gan gyflogwyr ddyletswydd i beidio â gwahaniaethu dan Ddeddf Cydraddoldeb 2010. Mae'r Ddeddf Cydraddoldeb yn gwahardd gwahaniaethu ar sail rhyw.

Mae aflonyddu hefyd yn anghyfreithlon dan y Ddeddf Cydraddoldeb (mae aflonyddu'n fath o fwlio ac/neu ymddygiad diangen sy'n achosi dychryn neu ofid ac sy'n gysylltiedig â 'nodwedd warchodedig' megis rhyw, oedran neu anabledd person). Mae cyflogwyr yn gyfrifol am atal bwlio ac aflonyddu ac maent yn atebol am unrhyw aflonyddu a ddioddefir gan eu gweithwyr. Gallai aflonyddu gynnwys bwlio a sylwadau diangen ynghylch y menopos sy'n debygol o achosi dychryn neu ofid.

Enghraifft o aflonyddu fyddai rheolwr yn gwneud sylwadau sy'n awgrymu nad oes unrhyw bwrpas dyrchafu menywod yn ystod y menopos oherwydd eu bod yn 'hormonaidd'. Mewn rhai achosion mae rhai'n defnyddio hiwmor ynghylch y menopos fel rhyw fath o elfen o gyfeillgarwch neu fel strategaeth ymdopi, ac mewn achosion eraill roedd menywod yn adrodd am glywed sylwadau diangen neu weld bwlio rhywiaethol ac aflonyddu yn gysylltiedig â'r menopos.

Mae gan gyflogwyr ddyletswydd i atal gwahaniaethu yn y gweithle ac i wneud addasiadau i sicrhau y gall menywod weithio'n ddiogel drwy'r menopos. Ond mae manteision i gyflogwyr hefyd os byddant yn mabwysiadu ymagwedd fwy rhagweithiol tuag at y menopos. Trwy feithrin gweithleoedd diogelach a thecach i fenywod sy'n gweithio drwy'r menopos, mae cyflogwyr yn fwy tebygol o gadw sgiliau a thalent gweithwyr profiadol a medrus, ac o elwa o well morâl a lles cynyddol ymysg staff.

Mae'r Ddeddf Iechyd a Diogelwch yn y Gwaith yn mynnu bod cyflogwyr yn sicrhau iechyd, diogelwch a lles eu gweithwyr, ac mae'n ofynnol iddynt wneud asesiadau risg dan y Rheoliadau Rheoli a ddylai gynnwys unrhyw risgiau penodol i fenywod sy'n mynd drwy'r menopos os ydynt yn cael eu cyflogi.

Dylai asesiadau risg ystyried anghenion penodol menywod sy'n mynd drwy'r menopos a sicrhau na fydd yr amgylchedd gwaith yn peri i'w symptomau waethygu. Mae'r materion y mae angen eu hystyried yn cynnwys tymheredd, awyru, cyfleusterau toiled a mynediad at ddŵr oer.

Beth yw'r problemau?

Mae nifer o ffactorau yn ymwneud â'r gweithle a allai waethygu symptomau'r menopos neu ei gwneud hi'n fwy anodd i fenywod godi'r mater a gofyn am addasiadau.

Roedd y rhain yn cynnwys materion megis:

→ Diffyg asesiadau risg priodol sy'n sensitif i rywedd.
→ Awyru ac ansawdd aer annigonol.
→ Mynediad annigonol at ddŵr yfed.
→ Cyfleusterau toiled/ymolchi annigonol neu ddim yn bodoli.
→ Diffyg rheolaeth ar dymheredd/golau.
→ Diffyg iwnifform neu gyfarpar diogelu personol (PPE) priodol.
→ Rheolau amser gweithio/amseroedd egwyl anhyblyg.
→ Polisïau anhyblyg sy'n cosbi menywod oherwydd eu symptomau.
→ Llwyth gwaith gormodol.
→ Straen yn y gweithle.
→ Diffyg ymwybyddiaeth o'r menopos ymhlith rheolwyr a chyd-weithwyr.
→ Diffyg hyfforddiant.
→ Agweddau negyddol.
→ Dim cydymdeimlad gan reolwyr llinell/cyd-weithwyr.
→ Bwlio ac aflonyddu.
→ Cyflogaeth ansicr (e.e. tymor penodol, dros dro neu gontractau dim oriau).

Beth all cyflogwyr ei wneud?

Darparu hyfforddiant

Dylai cyflogwyr ddarparu hyfforddiant ar gyfer rheolwyr ar bob lefel a staff adnoddau dynol er mwyn sicrhau dealltwriaeth ac ymwybyddiaeth o'r menopos. Dylai cyflogwyr sicrhau bod pob rheolwr yn cydnabod y menopos fel mater iechyd a diogelwch a chydraddoldeb, a darparu hyfforddiant i'r holl staff er mwyn codi lefelau cyffredinol o ymwybyddiaeth a dealltwriaeth.

Datblygu polisïau clir

Dylai cyflogwyr weithio gydag undebau i sicrhau bod polisïau ac arferion yn y gweithle'n addas i'r diben ac yn cefnogi gwerthoedd cydraddoldeb ac amrywiaeth, gan gynnwys anghenion menywod sy'n mynd drwy'r menopos. Gellir rhoi polisi penodol ar y menopos yn ei le wrth ymgynghori ag undebau. Dylai cyflogwyr sicrhau hefyd fod polisïau ac arferion yn diogelu menywod rhag gwahaniaethu a thriniaeth anffafriol oherwydd symptomau'r menopos. Unwaith y cytunwyd arnynt dylai polisïau gael eu gweithredu, eu monitro a'u gorfodi'n llawn i sicrhau eu bod yn effeithiol.

Codi ymwybyddiaeth

Dylai cyflogwyr amlygu'r menopos fel rhan o ymgyrchoedd ehangach ar ymwybyddiaeth iechyd galwedigaethol, fel bod staff yn gwybod bod gan y cyflogwr agwedd gadarnhaol tuag at y mater ac nad yw'n rhywbeth y dylai menywod deimlo'n chwithig yn ei gylch. Dylid darparu taflenni neu adnoddau ar-lein.

Sefydlu pwyntiau cyswllt cydnabyddedig

Mae llawer o fenywod yn teimlo'n anghysurus wrth siarad â'u rheolwyr ynghylch y mater hwn, yn arbennig os yw'r rheolwr yn wryw neu'n llawer iau. Dylai cyflogwyr drefnu bod opsiynau eraill ar gael, megis trwy adnoddau dynol, swyddog lles neu raglenni cymorth cyflogeion.

Gwella mynediad at gefnogaeth

Roedd llawer o fenywod yn teimlo y byddai'r cyfle i ffurfio grwpiau cymorth neu gael mynediad at gynlluniau mentora/ cyfeillio yn y gweithle'n ddefnyddiol iawn. Gallai cyflogwyr helpu i drefnu grwpiau gweithredu a chefnogi neu gynlluniau mentora ynghylch y menopos yn y gweithle, a darparu adnoddau megis ystafelloedd cyfarfod a deunyddiau hyrwyddo.

Swyddi boddhaol

O ystyried pa mor agored i niwed y mae menywod sydd ar gontractau dros dro a'r effaith niweidiol y gall contractau o'r fath ei chael ar iechyd a lles menywod, dylai cyflogwyr anelu at gyflogi pob aelod o staff ar gytundebau parhaol a diogel sy'n cynnig oriau a thâl boddhaol.

Diolch i Rhianydd Williams, Swyddog Polisi a Chydraddoldeb TUC Cymru, am ei help gyda'r bennod hon.

Gwell trafodaeth na thawelwch

Llinos Lloyd

Cefais hysterectomi yn 2015 pan oeddwn i'n 49 oed, ac o fewn tair wythnos wedi'r llawdriniaeth, BANG! – dyma fi'n cael y profiad mwyaf ofnadwy. O'n i wedi dechrau'r hyn sy'n cael ei alw'n 'medical menopause', rhywbeth o'n i'n wirioneddol ddim yn barod amdano, yn enwedig mor fuan ar ôl y llawdriniaeth. Fe ddecheruodd y symptomau yn llythrennol dros nos!

O'n i'n teimlo bod fy nghorff wedi cael ei gymryd drosodd gan symptomau eithriadol o annifyr – gwres mawr drwydda i, oedd yn dod allan drwy fy ngwyneb a 'nghefn, gwres a oedd yn mynd â gymaint o fy egni, er mai dim ond am eiliadau roedd e'n para, ac o'n i'n teimlo mor wan ar ei ôl. Roedd yr *hot flushes* yn dod un ar ôl y llall, ac yn mynd o nerth i nerth, ac o'n i'n ffaelu'n deg â rheoli beth oedd yn digwydd, na phryd chwaith! O'n i'n teimlo'n emosiynol ar adegau pan nad oedd rheswm 'da fi i fod – mynd o chwerthin i lefain, a 'nôl i chwerthin eto! Roedd yn *rollercoaster* o emosiwn, a'r symptomau yn rhai mor eithriadol, yn gywasgedig oherwydd mai 'medically induced menopause' o'n i'n ei brofi. Do'n i ddim yn teimlo fel fi fy hunan o gwbwl.

Pan wnes i drafod hyn efo'r ymgynghorydd, fe wnaeth awrgymu i fi ddechrau cymryd tabledi HRT yn y gobaith y bydden nhw'n helpu i reoli a lleddfu symptomau. Ond yn anffodus, doedd HRT ddim yn gweithio i fi, roedd yn gwneud i fi deimlo'n isel iawn fy ysbryd. Nawr, mi fydd y rheini ohonoch chi sy'n fy adnabod yn gwybod 'mod i'n berson positif, hapus a llawn hwyl fel arfer, ac er i fi drial sawl math o HRT, yn cynnwys jel a patshys, yr un oedd yr effaith, ac fe benderfynais roi'r gorau i'r feddyginiaeth – roedd yn amlwg fod HRT ddim i fi.

Pan wnes i ddechrau fy siwrne efo'r symptomau, doedd dim gymaint â hynny o wybodaeth ar gael am y menopos, ac yn sicr doedd e ddim yn bwnc oedd yn cael ei drafod chwaith. Roedd hyn yn rhywbeth oedd yn amlwg iawn i fi'n bersonol, yn enwedig yn fy ngwaith.

Dwi'n gweithio efo dynion rhan fwya, a phan o'n i'n cael yr *hot flushes* mewn cyfarfod gyda stafell lawn o ddynion bydden i'n teimlo gymaint o embaras, ac yn poeni gymaint eu bod yn gweld 'mod i'n cael 'hen dro'! Roedd y pwnc yn tabŵ, doedd neb yn siarad am y peth yn agored. Wel, penderfynais i mai'r unig ffordd i fi allu ymdopi â'r sefyllfa oedd drwy fod yn fwy agored efo pobl, a pheidio teimlo embaras rhagor. Wedi'r cyfan, dwi'n fenyw, dwi'n mynd drwy'r menopos, mae hyn i'w ddisgwyl, a dyna ddiwedd ar y peth! Mae'n rhaid dweud, fe weithiodd hyn yn dda – o'n i'n ffeindio oherwydd 'mod i'n agored, fod ymateb pawb arall yn well hefyd. Roedden nhw'n cydnabod beth o'n i'n mynd trwyddo ac ambell un yn sôn am ei wraig yntau'n diodde o'r un peth, a bydde trafodaeth yn hytrach na thawelwch.

Ond y pyliau poeth a'r emosiynau anghyson oedd y man cychwyn efo'r symptomau, a beth do'n i ddim yn barod amdano oedd y ffaith bod 'na fwy i ddod!

Roedd hyn i gyd yn digwydd yn y cyfnod pan o'n i'n gofalu ar ôl fy rhieni oedrannus. Cafodd fy nhad lawdriniaeth dair gwaith o fewn tair blynedd a bu'n diodde o afiechyd am yn agos i bum mlynedd, ac yn ystod hyn i gyd hefyd, roedd Mam yn diodde o dementia. Mae gen i dri mab, a dwi wedi'u magu nhw ar ben fy hunan, ac ar y pryd roedden nhw yn eu harddegau ac, yn naturiol, gydag amrywiaeth o ddiddordebau a gofynion. Yn aml, bydde angen hebrwng y bechgyn o un lle i'r llall a phob un angen mynd i gyfeiriad gwahanol ar yr un pryd! Wnes i sôn 'mod i hefyd yn gweithio'n llawn amser fel rheolwraig ar fusnes gwerthu ceir?

Yn y cyfamser o'n i'n mynd drwy gyfnodau o newid, ac er mai dros gyfnodau byr fydde fe'n digwydd, roedd e'n cael effaith fawr arna i ar y pryd, a do'n i ddim bob amser yn deall beth oedd yn digwydd i fi a pham.

Dros y blynyddoedd dwi wedi gweld cyfnodau lle dwi wedi mynd o fod yn rhywun oedd yn gwneud penderfyniadau mawr a phwysig mewn eiliadau, i fod yn berson oedd yn dal 'nôl, yn pendilio, ac yn ffaelu gwneud penderfyniad un ffordd neu'r llall. O'n i'n colli hyder, yn teimlo'n nerfus ac yn poeni am bethau bach a mawr yn eu tro; roedd fy nghalon yn rasio. Roedd fy nghwsg hefyd yn cael ei effeithio – dihuno achos 'mod i'n boeth, dihuno eto am 'mod i'n oer, ac roedd mynd 'nôl i gysgu yn dipyn o sialens. Roedd hyn yn cael effaith fawr ar fy mywyd o ddydd i ddydd ac roedd diffyg canolbwyntio yn ystod y dydd yn broblem oherwydd diffyg cwsg, a bydden i'n ysu am siesta bach erbyn tri y prynhawn. Dim gobaith!

Un o'r adegau gwaetha oedd pan o'n i'n ei chael hi'n anodd cofio geiriau wrth siarad mewn cyfarfod. O'n i'n gorfod paratoi cyn pob cyfarfod drwy ysgrifennu geiriau allweddol i lawr a chadw nodiadau er mwyn cofio beth o'n i am ei ddweud. Roedd hyn yn fy mhoeni i'n fawr, ac nid yn unig fi – roedd fy meibion yn sylwi ac yn pryderu am gyflwr fy iechyd. Dwi wedi cael poenau yn fy nghymalau, fy ewinedd yn gwanhau a hollti, ac yn fwy diweddar mae hyd yn oed fy ngwallt yn teneuo ac mae sŵn yn fy nghlust chwith – *tinnitus*!

Nawr, os oes 'na ferched ifanc yn darllen yr hyn dwi wedi'i ysgrifennu yma, dwi am i chi wybod fod pob menyw'n wahanol, a bod profiad pob un yn gwahaniaethu hefyd. Mae gen i ffrindiau sydd wedi mynd drwy'r menopos heb wybod, oherwydd eu bod heb gael symptomau o gwbwl. Hefyd, mae gen i sawl ffrind sydd wedi bod ar HRT ers blynyddoedd ac yn hwylio drwy'r cyfnod heb unrhyw broblem.

TIP

Gan fod y gwallt yn dueddol
o deneuo, defnyddiwch frwsh
mwy meddal, sy'n fwy
caredig i'r gwallt.

Erbyn heddiw, ac yn enwedig dros y tair blynedd diwetha, mae 'na gymaint o fenywod a doctoriaid sy'n arbenigo yn y maes wedi ysgrifennu llyfrau ac erthyglau ac yn siarad yn agored ar wahanol lwyfannau cyfryngau cymdeithasol am y menopos ac am eu profiadau nhw'n bersonol. Mae gwybodaeth ar gael am y symptomau, a'r effaith mae'r menopos yn ei gael ar fywyd personol a theuluol, a chyngor da am y feddyginiaeth sydd ar gael hefyd. Mae hyn wedi bod yn gymaint o help i ddeall bod dim angen i fi boeni am be sy'n digwydd; mae 'na esboniad, sydd yn help i dawelu'r meddwl ar yr adegau ry'ch chi'n pryderu.

Dwi am bwysleisio bod yr holl bethau dwi wedi'u rhestru wedi digwydd i fi dros gyfnod o wyth mlynedd bellach. Mae mwyafrif y symptomau wedi dod a mynd, a dwi wedi llwyddo i wneud popeth oedd angen ei wneud o ran gofalu am fy rhieni, magu plant a gweithio'n llawn amser, er gwaetha'r menopos! Mae'n beth da i fod yn agored am y ffordd ry'ch chi'n teimlo, mae'n iawn i ofyn am help, ond mae'n bwysig hefyd i gadw'r cyfan mewn persbectif.

Dwi ddim yn edrych ar y menopos fel rhywbeth negyddol, dwi'n ei weld fel her fawr dwi wedi'i goresgyn ar hyd y ffordd, ac fel pob profiad bywyd, dwi'n gryfach person o'i achos.

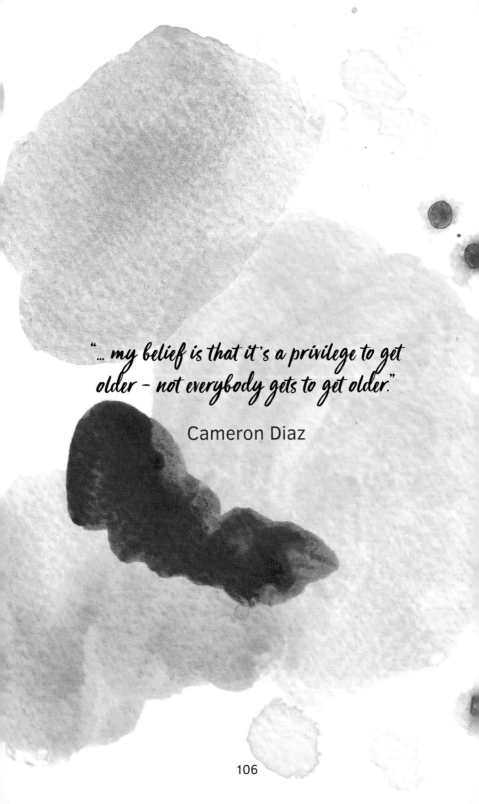

"... my belief is that it's a privilege to get older – not everybody gets to get older."

Cameron Diaz

Ifanc ein hysbryd?

Sara Penrhyn Jones

Yn ddiweddar bues i'n rhan o drafodaeth am y menopos ar lwyfan gŵyl syniadau yn Nhyddewi. Daeth y gwahoddiad yn sgil fy niddordeb mewn sut mae'r menopos, a merched yn heneiddio yn gyffredinol, yn cael ei fframio gan y cyfryngau, llenyddiaeth a diwylliant ehangach. Mae'r fframweithiau yma'n cael dylanwad ar y ffordd rydym yn ystyried, ac felly yn profi, y pethau hyn.

Roedd y siaradwyr eraill yn yr un digwyddiad, Eluned Morgan, y Gweinidog Iechyd, a Sarah Williams, ymgynghorydd menopos, yn siarad mor ddidwyll ac agored nes i mi deimlo ein bod yn profi moment brin mewn bywyd cyhoeddus. Roedd fel bod mewn swigen gefnogol, rhyw fath o chwaeroliaeth mewn fflach am awr fach. Beth oedd yn annisgwyl hefyd oedd y teimlad o undod gyda'r gynulleidfa, wrth i bawb dueddu tuag at drafodaeth holistaidd iawn am ferched a heneiddio. Roedd dynion yn y gynulleidfa hefyd, ond eu rôl hwythau oedd gwrando tra oedd y merched yn siarad. Ar ddiwedd y drafodaeth daeth un ddynes oedd yn gweithio i'r Gwasanaeth Iechyd aton ni i ddweud diolch. "Cyn dod," roedd hi'n hanner sibrwd, "ro'n i'n poeni y byddai'r sgwrs i gyd am Davina McCall ac HRT."

Does gen i mo'r awydd lleiaf i fychanu cyfraniad unrhyw unigolyn i'r drafodaeth, gyda phob cyfraniad gonest yn rhyw fath o ddyfal donc er mwyn dinistrio tabŵ'r menopos. Mae hyn yn cynnwys cyfraniadau mwy diweddar gan gyflwynwyr ac awduron megis Davina McCall, Mariella Frostrup a Caitlin Moran yma ym Mhrydain. Ar yr un pryd, mae'n ddiddorol ystyried pwy sydd ddim yn cael y cyfle i gyfrannu i'r drafodaeth gyhoeddus ac ystyried pam mae hyn yn bwysig. Cyhoeddwyd erthygl academaidd ddiddorol eleni gan yr ysgolhaig Deborah Jermyn yn archwilio 'troad y menopos' (*the menopausal turn*) o fewn diwylliant poblogaidd. Y broblem, yn ôl Jermyn, yw bod lens yr enwogion hyn yn creu trafodaeth braidd yn gyfyngedig. Mae'r menopos yn cael ei ddiffinio a'i drafod drwy lens gwyn, cisryweddol (*cisgender*), dosbarth canol, cyfoethog.

Os ydy'r syniad yma'n rhy haniaethol, dyma enghreifftiau o sut gallai hyn fod yn broblem: os oes person wedi dioddef hiliaeth yn ei swydd, tybed sut mae'n teimlo i fynd at reolydd llinell digydymdeimlad a gofyn am ystyriaeth arbennig oherwydd y menopos? Tra gall person gyda sicrwydd gwaith a phensiwn da ystyried lleihau ei oriau gwaith i ffocysu ar ei iechyd meddyliol a chorfforol, beth am yr holl bobl sydd yn ddibynnol ar yr economi gìg, gyda chontractau dros dro? Tra bod modd i rai wario miloedd o bunnoedd i weld meddyg mewn clinig preifat, mae cymaint mwy o ferched yn ddibynnol ar y Gwasanaeth Iechyd Gwladol ac efallai nad yw hyn, mewn gwirionedd, yn ysgwyd eu ffydd yn y gwasanaeth. Gall persbectif yr enwogion cefnog danseilio gwaith meddygon teulu, a gorfedicaleiddio proses 'naturiol' y menopos, drwy ffocysu'n ormodol ar faterion fel HRT. Yn y pen draw, mae'r math yma o drafodaeth gyfyngedig yn gallu gwneud mwy o ddrwg nag o les, drwy fwydo disgwyliadau negyddol ac ofnau menywod.

Mewn adroddiad diweddar ar y pwnc gan Bwyllgor y Menopos a'r Gweithle yn Nhŷ'r Cyffredin roedd academydd arall, yr Athro Joanna Brewis, yn awyddus i esbonio mai ychydig iawn o ymchwil sydd ar gael hefyd am unigolion traws, anneuaidd (*non-binary*), a'r rhai nad ydynt yn uniaethu â phersbectif heterorywiol. Mae hyn yn wir yn ogystal am rai sy'n byw gydag anabledd neu sydd heb swydd broffesiynol. Ystyriaf fy ngeiriau yn ofalus, gan ddeall fod rhai pobl yn cael eu cloi allan o'r drafodaeth yn syth bìn drwy'r ieithwedd a ddefnyddir. Mae'n cymryd ymdrech ymwybodol ac ymchwil pellach i mi ddechrau deall sut y gall dyn traws, er enghraifft, gael ei effeithio gan y menopos, a bod y rhai a ystyrir yn ymylol o fewn y drafodaeth yn wynebu heriau penodol a – mwy na thebyg – anoddach. Gall eraill deimlo iddynt fynd yn angof o fewn y prif ddisgwrs hefyd: merched iau, a'r rhai sydd wedi wynebu menopos llawfeddygol, neu sydd yn delio ag amrywiaeth o sialensau eraill ar yr un pryd.

Un o fy nghasgliadau yw fod heneiddio a'r menopos yn bwnc gwleidyddol, a'i bod yn hanfodol ystyried y menopos drwy lygaid amrywiaeth o bobl, a'i fod gymaint ehangach na thrafodaeth am fanteision ac anfanteision HRT yn unig. Tra bod fy nghyfoedion yn sylwi ar sut mae newidiadau hormonaidd yn effeithio ar ansawdd cwsg, maent hefyd yn dechrau ystyried o ddifri eu diffyg pensiwn, o gymharu â'u partneriaid gwrywaidd. Maent yn pendroni sut gallai hynny fod wedi digwydd – sydd yn rheswm arall dros golli cwsg!

Mae'n werth cofio dadl y ffeminydd Germaine Greer fod y menopos arferol yn cyd-ddigwydd gyda newidiadau arwyddocaol eraill ym mywydau merched, a bod angen ystyried yr holl bethau yma gyda'i gilydd. Er enghraifft, yn ei geiriau hi, gall rhai merched deimlo fel lleuad heb ddaear pan mae eu plant yn gadael cartref neu'n llai dibynnol arnynt. Yn ogystal â theimlo'n ddiangen o bosib, gwyddom fod merched yn gynyddol anweladwy wrth heneiddio yng ngwledydd y Gorllewin. Dydy hyn ddim yn wir ym mhob rhan o'r byd, ac mae'n werth cofio bod heneiddio yn broses ddiwylliannol lawn cymaint ag y mae'n un fiolegol. Oherwydd hyn oll mae'n angenrheidiol darganfod adnoddau seicolegol er mwyn addasu i'r syniad o bwy ydym ni i bobl eraill ac i ni ein hunain. Nid yw'n ddefnyddiol esgus nad ydym yn heneiddio, fel petai heneiddio yn digwydd i bobl eraill, a ninnau yn aros yn 'ifanc ein hysbryd'. Dylem osgoi awgrymu ei fod yn beth dychrynllyd i ddynes edrych ei hoed drwy ddweud pethau fel 'Ti ddim yn edrych dy oedran!'

Mae darllen yn eang am y pwnc wedi bod yn gymorth i mi, ond y peth pwysicaf oll yw prisio cyfeillgarwch gyda merched meddylgar, caredig ac anturus, sydd yn gwneud i bopeth deimlo'n bosib, a bod bywyd yn werth ei fyw.

TIP

Rhowch eli haul bob dydd, gan fod nifer y celloedd sy'n cynhyrchu melanin (pigmentau sy'n diogelu'r croen rhag effeithiau'r haul) yn lleihau.

"I call the Change of Life 'Orchids' because menopause is such an ugly word. It's got men in it, for god's sakes."

Lisa Jey Davis

Cynnal perthynas

Elin Prydderch

Mae cyfnod y menopos yn gallu bod yn heriol i berthynas. Gall olygu blynyddoedd o newidiadau corfforol, meddyliol ac emosiynol, gyda symptomau megis iselder, gorbryder, tymer ddrwg, gorflinder, rhyw poenus, diffyg cwsg, magu pwysau ac yn y blaen. Mae'n bwysig iawn trafod y pwnc oherwydd yr effaith mae'n ei gael ar y fenyw ac, o ganlyniad, ar y berthynas â'i phartner.

Mae'r ystadegau yn dangos bod achosion o ysgariad ar eu huchaf o gwmpas 40–55 oed, sef cyfnod y perimenopos a'r menopos, a menywod sydd fwyaf tebygol o adael y briodas. Ond mae angen deall bod llawer o gyplau wedi bod gyda'i gilydd ers degawdau erbyn cyrraedd canol oed, a bod cynnal perthynas hirdymor yn heriol beth bynnag.

Felly does dim rhyfedd fod y menopos yn rhoi mwy o straen ar berthynas wrth i'r fenyw fynd drwy un o gyfnodau mwyaf heriol ei bywyd. Ar ben hyn, gall fod yn gyfnod pan mae'r plant yn gadael y nyth, yn adeg o ofalu am rieni yn eu henaint, neu o alaru ar ôl colli rhiant, ac mae hyn yn ychwanegu nifer o emosiynau gwahanol i ddelio â nhw.

Hormonau

Mae'r newidiadau yn ein hormonau yn ystod y perimenopos a'r menopos yn cael llawer o ddylanwad ar ein chwantau rhywiol, ond nid i bawb. Mae nifer yn dweud nad ydyn nhw'n teimlo'n rhywiol rhagor, am nifer o resymau, fel magu pwysau, diffyg egni, colli chwant yn llwyr, symptomau yn y fagina sydd yn gwneud rhyw yn boenus, symptomau eraill fel pyliau poeth a chwysu yn y nos – rhesymau sydd yn amharu ar fywyd rhywiol y ferch, a'i pherthynas.

Efallai hefyd fod y ferch yn sengl a bod y diffyg chwant am ryw yn effeithio ar ei hawydd i fynd allan i chwilio am gymar. Efallai fod y symptomau mae hi'n dioddef ohonyn nhw yn amharu arni yn gorfforol ac yn chwalu'r hyder sydd ganddi ynddi hi ei hun yn rhywiol.

Ond dwi'n grediniol na ddylai'n hormonau chwalu ein bywydau fel hyn – mae llawer mwy yn mynd ymlaen na dim ond newid yn ein hormonau. Fyddai natur ddim mor ddiffygiol, does bosib, â gwneud bywyd dynes mor ddiawledig o'r perimenopos ymlaen, felly beth sydd yn digwydd go iawn?

Rhyw

Mae rhyw yn un o anghenion sylfaenol bywyd i ni i gyd. Mae'n weithred hollol naturiol ac mae cemegau ein cyrff wedi cael eu gwneud ar gyfer eu chwantu, a'u mwynhau. Mae'n eithriadol o bwysig mewn perthynas – na, nid yw'n bopeth, ond mae'n bendant yn un o'r elfennau sydd yn gwahaniaethu rhwng cyfeillgarwch a bod mewn perthynas. Felly, mae pwysau enfawr yn cael ei roi ar ryw yn ein cymdeithas, ac yn enwedig ar y fenyw. Y naratif ydy fod dynion wastad yn barod amdano ac y dylai merched fod eisiau rhyw ar ofyn, a hefyd y dylai menyw ddal i deimlo'n rhywiol er mwyn pleseru'r partner a chael ei phleseru ar yr un pryd. Wel, dyna'r gobaith! Felly, pan mae'r menopos yn taro, a chymaint o newidiadau yn digwydd yn gorfforol ac yn emosiynol, ynghyd â phopeth arall y gall bywyd ei daflu aton ni, mae gwendidau'n siŵr o ddechrau setlo i mewn i'r berthynas a thynnu partneriaid oddi wrth ei gilydd yn hytrach nag yn nes.

Mae'n werth nodi hefyd nad diffyg chwant i gael rhyw yn unig sydd yn taro merched yn y cyfnod yma. Gall y chwant hwnnw gynyddu yn aruthrol mewn rhai achosion, sydd yn gallu gwneud i'r fenyw fodloni ei chwantau y tu allan i'r berthynas. Ond mae honno'n bennod arall ynddi ei hun.

Cyfathrebu

Mae'n gyfnod emosiynol, a dweud y lleiaf. Ac mae bywyd mor brysur yn aml fel nad ydy'r cwpl yn neilltuo amser i drafod yn ddwys ac yn glir beth sydd yn mynd ymlaen. Mae hyn yn angenrheidiol, neu os na wnewch chi, fe fydd y meddwl yn creu stori ac yn hel meddyliau am y cymar a fydd, mae'n bur debyg, ymhell o'r gwirionedd. Rhaid siarad er mwyn i'r naill a'r llall ddeall beth yn union sy'n digwydd a sut gall y ddau gyd-dynnu i wella pethau. Does neb yn gallu rhagweld na darllen meddwl ei gymar, felly os nad yw'r teimladau yn cael eu rhannu gall hynny beri camddealltwriaeth. Mae angen creu amser i rannu, i wrando, i ddeall sut mae eich partner yn hoffi cael ei garu, a sut mae'n dymuno derbyn cariad yn ystod newidiadau'r cyfnod yma. Dim ond wrth gyfathrebu yn glir y gall cefnogaeth ddigwydd. Dyma'r adeg i flaenoriaethu amser gyda'ch gilydd heb ymyrraeth, ac i rannu teimladau ac unrhyw bryderon am y berthynas.

Mae gan bob un ohonom ein ffordd ein hunain o deimlo cariad, ac yn aml, i'r ferch, mae'n bwysig iawn ei bod yn teimlo'n ddeniadol i'w chymar. Felly os ydy gordewdra yn ei tharo, neu bod ei chroen neu ei gwallt wedi cael eu heffeithio, neu'r fagina yn gwneud cyfathrach rywiol yn fwy poenus na phleserus, gall hyn ostwng ei hunanhyder a'i gwneud hi'n anodd iddi fod yn barod i ymroi yn rhywiol. Mae cymaint o bwyslais yn y cyfryngau ar yr angen i ferched edrych yn ifanc a phrydferth, sydd yn aml yn gallu creu ansicrwydd am y ffordd mae'r corff yn newid ac yn wynebu arwyddion heneiddio. Mae ei chyfnod fel menyw ifanc yn diflannu a gall fynd yn ddihyder iawn, ac mae arni angen gwybod yn fwy nag erioed ei bod hi'n dal yn rhywiol ac yn ddeniadol i'w chymar.

Mae'n bwysig ofnadwy nad ydy'r naill yn bychanu'r llall os bydd un cymar yn gwrthod rhyw. Gall y dyn deimlo'n annigonol, a chael ei anafu'n emosiynol wrth iddo beidio â chael ei dderbyn ar gyfer cyfathrach rywiol. Y peth gwaethaf all y dyn ei wneud ydy tynnu hyder y ferch i lawr er mwyn codi ei hyder ei hun drwy alw enwau arni, neu ei labelu fel rhywun *frigid*, neu'n *menopausal*, neu ddweud ei bod yn mynd yn hen. Beth sydd ei angen yw cefnogaeth a dealltwriaeth ddwys, gan y ddwy ochr. Yn bur aml mae'r fenyw yn teimlo y dylai'r partner ddeall beth sy'n mynd ymlaen, a gallu deall ei theimladau, ond mae hyn yn hollol amhosib, ac yn ormod i'w ofyn. Mae angen dweud beth sy'n digwydd, a beth ydy'r teimladau neu'r symptomau sydd yn ei rhwystro rhag chwantu a bod eisiau rhyw.

Ond gall siarad yn agored fod yn anodd iawn; gall y cyfan wneud iddi deimlo'n ddiffygiol, nad oes ganddi unrhyw reolaeth dros ei chorff, bod ei hamser i fwynhau rhyw ar ben ac na ddaw byth yn ôl. Mae cymaint yn mynd ymlaen, yn emosiynol, yn gorfforol ac yn feddyliol, fel ei bod hi'n angenrheidiol cymryd camau pendant i helpu'r corff ac i helpu'r meddwl a'r emosiynau. Y cam mwyaf niweidiol yw anwybyddu'r broblem, a gadael i bethau dyfu'n fwy, nes y bydd hi'n rhy hwyr i achub y berthynas.

Mae cymaint y gellir ei wneud i helpu. Os yw cyfathrebu yn anodd, mae'n bosib mynd i weld therapydd neu hyfforddwr bywyd (*life coach*). Yn gorfforol, mae HRT yn un ateb, ond mae llawer o ferched yn dal i gael problemau ar hwnnw hefyd. Mae llawer o bethau y gellir eu gwneud yn naturiol i leihau symptomau, i golli'r pwysau, ac i gysylltu eto gyda chwantau rhywiol a theimlo'n rhywiol.

Cara dy hun

Mae hunanbleseru yn bwysig iawn, nid yn unig i gadw'r fagina yn iach, ond hefyd i gysylltu'r meddwl a'r corff. Yn ystod orgasm does dim modd i ni brofi unrhyw ymwrthod emosiynol na meddyliol. Rydyn ni'n llwyr yn y foment.

Mae defnyddio dirgrynwr (*vibrator*) neu ddildo yn help mawr i gyrraedd uchafbwynt, a'u defnyddio yn aml er mwyn cysylltu unwaith eto â'r corff. Does dim rhaid gwneud hyn gyda'r partner, ac os oes problemau o ran bod yn barod i ymroi yn rhywiol, yna buaswn yn argymell ei wneud yn unigol ac mewn preifatrwydd. Mae hyn nid yn unig yn helpu gyda straen, ond mae hefyd yn rhyddhau hormonau sydd yn gwneud i ni deimlo'n dda. Mae orgasm yn helpu wal y fagina, ac nid oes angen treiddiad y pidyn i gyrraedd uchafbwynt. Yn amlach na pheidio, mae angen cyffroi'r clitoris er mwyn i'r fenyw gael orgasm, ac os yw hi wedi cael trafferth yn y gorffennol i gyrraedd orgasm drwy gael rhyw drwy'r fagina yn unig, yna, yn ystod y menopos, gall hyn waethygu. Mae'n rhaid cyfathrebu â'r partner a dweud beth sydd yn gwneud iddi gyrraedd uchafbwynt pleserus, a sut, ac iddo beidio â'i wneud yn rhan o'r cynhesu (*foreplay*) yn unig, ond yn hytrach yn ganolbwynt i'r weithred gyfan. Mae angen mwy o bwyslais ar sut gall y partner bleseru'r ddynes, a chyffroi'r clitoris yn ddigon hir i wneud yn siŵr ei bod yn cyrraedd orgasm llawn, cyn neidio i gam 2!

Wrth gael rhyw mae dynion yn cyrraedd orgasm yn llawer haws, a hynny bron bob tro, ac os yw hi'n anodd i'r fenyw gael orgasm nid yw teimlo fel cadach llawr, a dioddef o symptomau'r menopos, yn mynd i wneud iddi fod eisiau rhyw yn unrhyw le, unrhyw bryd. Ddynion/bartneriaid, mae'n amser rhoi digon o sylw a chariad i'r clitoris a gwneud yn siŵr fod orgasm ar y fwydlen i'r ddynes bob tro! Bydd hyn yn help mawr i ailgynnau'r tân yn yr ystafell wely. Neu ble bynnag arall sy'n mynd â'ch bryd...

Ac o sôn am hynny, nid oes rhaid cadw at yr un drefn chwaith. Newidiwch bethau o gwmpas. Newid lleoliad, cael rhyw y tu allan, yn y gegin, ar y grisiau, ewch i ffwrdd am benwythnos heb y plant. Fenywod, buddsoddwch mewn dillad isaf sydd yn gwneud i chi deimlo'n rhywiol, ailsteiliwch eich gwallt, gwnewch eich ewinedd, ewch am fasâj, darllenwch nofel erotig. Mae nifer o bethau y gallwch eu gwneud er mwyn ailgysylltu â'ch egni benywaidd ac aildanio'r tân mewnol.

Yn lle aros yn y meddylfryd 'O, mae fy mywyd drosodd rŵan, dwi yn y menopos', beth am ailgyfeirio eich egni tuag at newidiadau positif er mwyn gofalu amdanoch chi'ch hunain yn well? Mae'n bryd i chi roi eich hunain yn gyntaf, efallai am y tro cyntaf erioed. Os ydych chi'n gweld hyn yn anodd, yna mae *life coaching* yn fendithiol.

Bydd dilyn deiet iachus ac yfed llai o alcohol a choffi, os nad cael gwared ohonyn nhw'n llwyr, yn gwneud gwahaniaeth mawr i symptomau'r menopos. Bydd sicrhau bod y deiet yn llawn llysiau a ffrwythau, carbohydrad cyflawn, protin da a dŵr yn cael effaith bositif ar yr hormonau, gan gynnwys yr hormonau rhywiol. Os ydy colli pwysau yn broblem yna mae llawer o gymorth ar gael, dim ond i chi fentro allan o egni'r dioddefwr neu'r *victim* ac i mewn i'r egni sy'n golygu eich bod yn cymryd camau ymlaen i wneud newidiadau. Ystyriwch droi tuag at feddylgarwch, myfyrio, cerdded yng nghanol byd natur, ymarfer corff, neu wneud y gweithgareddau hyn gyda'ch partner. Nofio gwyllt yn oriau mân y bore, gyda'ch gilydd, ac yn noeth! Mae posibiliadau di-ben-draw o ran mynegi cariad drwy ryw heb gael cyfathrach lawn, er enghraifft drwy rannu bath neu gawod, tylino, cusanu mannau sensitif, defnyddio teganau rhyw, ac yn y blaen.

TIP

Prynwch *vibrator* siâp bwled fel man cychwyn i ailgynnau'r fflam.

Edrych ar ôl y fagina

Gall yr holl newidiadau yn yr hormonau gael effaith negyddol ar y fagina. Mae'r newidiadau sy'n digwydd i'r fagina – crebachu (*atrophy*), cwymp y groth (*prolapse*), a sychder sy'n creu toriadau bychain yn y croen – yn gallu ei gwneud hi'n boenus i gael rhyw. Mae llawer y gellir ei wneud yn naturiol i helpu. Mae'n bwysig cwtogi ar siwgr yn y deiet, er mwyn cadw llid fel *thrush* draw. Gwnewch yn siŵr bod eich deiet dyddiol yn cynnwys Omega 3, 7 a 9 (mae Omega 6 – asid brasterog – yn dueddol o fod yn uchel yn y deiet), drwy fwyta pysgod olewog, hadau fel hemp a hadau llin/fflacs, ac olew helygen y môr (*sea buckthorn*). Mae'r olewon yma'n gallu helpu gyda'r cof yn ogystal, ac yn bwydo'r hormonau mewn ffordd bositif. Maen nhw hefyd yn helpu gyda lleithder y croen. Mae olewon fel melyn yr hwyr (*evening primrose*), almwn melys, cnau coco, pomgranadau, hadau blodyn yr haul, a hadau rêp (*rapeseed*) i gyd yn iawn i'w defnyddio yn y fagina er mwyn helpu sychder.

Mae ymarfer corff yn hanfodol er mwyn teimlo'n dda – mae'n fodd i osgoi gordewdra ac yn helpu gyda hyder yn yr ystafell wely hefyd. Mae'n amser i chi'ch hunan, ac yn help i godi chwant am ryw.

I grynhoi

- Mae angen siarad yn agored gyda'ch partner ynglŷn â phopeth sydd yn mynd ymlaen.
- Mae angen i'r partner hefyd gael rhannu ei deimladau, a theimlo ei fod yn cael ei glywed a deall sut y gallai gefnogi yn well.
- Rhowch sylw i hunanofal, o ran maeth, ymarfer corff, hunanbleseru, bod yng nghanol byd natur, a chael amser i chi'ch hunan.
- Ystyriwch siarad â rhywun proffesiynol o'r tu allan – yn unigol neu fel cwpl. Does dim rhaid i'r berthynas fod yn agos at farw cyn siarad ag arbenigwr. Yn anffodus, tuedd pobl yw troi am

gymorth pan mae'n rhy hwyr. Y gyfrinach yw cael cymorth yn gynnar pan mae anawsterau'n codi yn y berthynas. Gall cymorth proffesiynol hwyluso ac ysgafnhau cyfathrebu, ac ailgynnau agosatrwydd.

- Archwiliwch wahanol berlysiau, ac atchwanegiadau (*supplements*) naturiol a all helpu'r symptomau, a glynwch atyn nhw!
- Byddwch yn amyneddgar, gyda chi'ch hun a'ch partner. Dydych chi erioed wedi bod yn y man yma o'r blaen, ac mae cael dau yn sefyll yn gytûn wrth fynd drwy'r storm yn haws nag un.
- Mae angen cariad, gofal, amynedd, cyfathrebu clir, a pheidio meddwl eich bod ar ben eich hunan wrth fynd drwy'r cyfnod heriol yma. Estynnwch allan.
- Mae'n gyfnod o addasu blaenoriaethau. Yr unigolyn sy'n dod gyntaf, wrth flaenoriaethu hunanofal. Daw'r berthynas yn ail, yna'r plant, neu ofal rhieni, a gwaith. Os nad yw'r unigolyn yn iawn, fydd y berthynas ddim yn iawn, ac os nad yw'r berthynas yn iawn bydd hynny'n effeithio ar y plant, y gwaith ac ar weddill y teulu.

Annwyl ddoctor

Heulwen Jones-Griffiths

I: **Fy Meddyg Teulu** ˅

Cc: **Darllenwyr y llyfr hwn**

Pwnc: **Y Menopos**

Annwyl ddoctor,

Rwy'n e-bostio heddiw er mwyn cyfleu fy mhrofiad o'r menopos. Fy ngobaith yw y gallwch ystyried y cofnod hwn wrth werthuso'r modd mae eich practis yn delio â menywod sy'n dod atoch gyda symptomau tebyg.

Bu i mi ymweld â fy nghyn-bractis bedair blynedd yn ôl i ofyn am help gyda symptomau'r menopos. Roeddwn yn dioddef cur pen, pyliau poeth, mislif afreolaidd, poenau yn fy nghymalau a diffyg diddordeb mewn rhyw. Cefais brawf gwaed a ddangosodd fod fy lefelau hormon o fewn y ffiniau 'normal'. Roeddwn wedi synnu i glywed hyn, gan i mi fod yn ymwybodol iawn o'r newidiadau yn fy nghorff, ond derbyniais yr hyn a ddywedodd y doctor.

Ddeunaw mis yn ôl, cefais ymgynghoriad ffôn â chi yn dilyn prawf gwaed i wirio lefelau hormon. Roedd hyn yn dilyn ymweliad â chi pan fu i mi adrodd am *brain fog* difrifol, cur pen, angen pasio dŵr o hyd, llai o amser rhwng pob mislif, poenau yn fy nghymalau, trafferth cysgu, chwysu yn y nos, pyliau poeth a theimlo'n isel iawn. Erbyn hyn roeddwn wedi cael fy mhen-blwydd yn 50. Eto, roedd y prawf gwaed yn dangos fod fy lefelau hormon o fewn y raddfa 'normal'. Roeddwn ar ben fy nhennyn – wedi blino'n lân, gan 'mod i'n codi i fynd i'r tŷ bach gymaint o weithiau yn y nos, yn dioddef o orbryder ofnadwy, prin yn gallu gwneud fy ngwaith, yn ddagreuol, ac yn profi teimladau tywyll iawn, oedd yn codi dychryn arnaf.

Derbyniais eich galwad tra oeddwn yn fy ngwaith a chlywed gennych fod fy lefelau B12 ychydig yn isel, ac y buasech yn rhoi presgripsiwn i mi am dabledi, ond na fyddech yn ystyried rhoi HRT i mi am fod fy lefelau hormon yn 'normal'. Credwn mai'r unig eglurhad, felly, oedd fy mod yn colli 'mhwyll, a'r unig opsiwn oedd neidio oddi ar y bont agosaf! Pan ddarfu eich galwad ffôn doedd dim posib fy nghysuro. Diolch byth, fe ofalodd fy nghyd-weithwyr amdanaf, gan fynd â mi i dŷ ffrind a sicrhau fy mod yn saff.

Cefais fy nghyfeirio at y nyrs alwedigaethol, ac am gwnsela, gan fy rheolwr llinell. Yn ystod sgwrs gyda'r nyrs, deallais mai dim ond cwrs byr mae meddygon teulu yn ei dderbyn ar y menopos yn ystod eu hyfforddiant. Ac, yn ei barn hi, wrth wrando ar fy symptomau, a gwybod fy oed, fel mae'r arfer diweddaraf yn ei argymell, roeddwn i'n bendant yn dioddef o symptomau'r menopos a dylwn ddychwelyd at fy meddyg.

Cymerodd rai wythnosau i mi deimlo'n ddigon cryf i ymweld â'r practis, ond fe es i, gyda chyngor y nyrs yn fy sbarduno, a chefais bresgripsiwn HRT gan un o'ch cyd-ddoctoriaid. O fewn wythnosau roeddwn yn teimlo mwy fel fi fy hun. Roedd geiriau oedd wedi bod y tu hwnt i'm cyrraedd yn dod yn ôl, doeddwn i ddim yn anghofio be ro'n i'n sôn amdano hanner ffordd drwy'r sgwrs a doedd gen i ddim cur pen wrth godi yn y bore. Yn bwysicach na dim, roedd y cwmwl du wedi cilio rhywfaint.

Gan deimlo'n gryfach wrth weld gwelliant yn fy symptomau, fe es yn ôl eto i'r feddygfa a gweld nyrs. Teimlwn fod fy nghwynion yn ddilys am y tro cyntaf – teimlad mor braf fel y bu bron i mi grio. Cydymdeimlodd â mi, a siarad drwy'r opsiynau, a chynghori, ac er y byddai'n falch o'm gweld eto dywedodd fod nyrs arall yn y practis wedi cael mwy o hyfforddiant ar drin y menopos na hi, ac efallai y byddai hi o gymorth pellach.

Rwyf wedi gweld y ddwy nyrs ers hynny, ac maent wedi bod yn help mawr. Rwyf bellach ar fy nhrydydd cyfuniad o HRT sy'n cynnwys jel testosteron ac rwy'n teimlo'n ffantastig. Rwy'n gallu cysgu; mae gallu fy ymennydd i brosesu bellach ar y lefel yr oedd bum mlynedd yn ôl; does dim ymweliadau â'r ty bach yn y nos; dim ond yn achlysurol mae'r pyliau poeth a'r chwysu yn y nos yn fy mhoeni; does dim gorbryder na chur pen; mae'r cwmwl du wedi mynd ac mae gwelliant mawr yn y boen yn fy nghymalau.

Rwyf wedi e-bostio eisoes i ddiolch i'ch nyrsys am eu help amhrisiadwy.

Gyda'r menopos yn gymaint o bwnc llosg, rwy'n teimlo fod angen i feddygfeydd fel eich un chi ddefnyddio arbenigedd y staff sydd ar gael, pan fo'n bosib, a chyfeirio menywod sy'n ymweld â'u meddyg teulu gyda symptomau'r menopos at yr aelodau o'r staff sydd wedi cael yr hyfforddiant mwyaf diweddar yn y maes.

Hoffwn fynegi fy siom o ddeall bod eich nyrsys bellach ddim yn cael rhoi presgripsiwn jel testosteron. Mae gen i bresgripsiwn rheolaidd, diolch byth; fodd bynnag, rwy'n teimlo rhwystredigaeth nad yw menywod sy'n dod i'r feddygfa yn gallu manteisio ar hyn fel rhan o'u HRT, pan all helpu gymaint i leddfu symptomau.

Rwy'n sylweddoli eich bod chi, a'ch cyd-weithwyr, yn gwneud gwaith anodd, fod cleifion yn eich beio am broblemau o fewn y system gan eich cam-drin yn eiriol, a'ch bod yn gweithredu dan amgylchiadau ariannol heriol, gydag absenoldebau staff cyson i ddelio â hwy. O ganlyniad, rwyf wedi ystyried yn ddwys cyn ysgrifennu atoch, a rhannu hyn gydag asiantaethau eraill, a'm hunig fwriad yw gwella'r driniaeth mae menywod yn ei derbyn wrth fynd drwy amser anodd yn eu bywydau. Tybiaf nad ydw i'n gor-ddweud wrth ddatgan ei bod yn bosib na fuaswn yma heddiw oni bai fy mod wedi derbyn yr help roedd arnaf ei angen, a theimlaf yn gryf y dylai menywod eraill sy'n dioddef yn yr un modd dderbyn pob cymorth.

Yn gywir,

Heulwen Jones-Griffiths

"Menopause, it's the best form of birth control. Face it graciously and brag about it. It's great."

Paula Weideger

(*Menstruation and Menopause*)

Ai gorbryder yw'r rheswm?

Mari Ellis Dunning

I bob BNE (Benyw a Neilltuwyd ar Enedigaeth) mae'r menopos – fel cynhesu byd-eang a thywydd annibynadwy – yn parhau i fod yn wirionedd anochel ac anghyfleus. Er bod y menopos wedi mynd yn llai o tabŵ yn ystod y blynyddoedd diwethaf (mae'r gyfrol hon yn enghraifft wych o'r trafodaethau diddorol sy'n digwydd), mae 'na le i wella o ran dealltwriaeth y cyhoedd o'r symptomau niferus – eto, nid yn annhebyg i gynhesu byd-eang.

Gellid cyflawni'r gwelliant hwn gydag addysg am sut mae corff menyw yn gweithio, gan ddechrau yn ystod plentyndod a chwmpasu'r ddau ryw. Yn ffodus, mae Cymru wedi defnyddio ei phwerau datganoledig i wneud cynnydd yn y maes hwn. Yn sgil gweithredu canllawiau addysg rhyw newydd ledled y Deyrnas Unedig yn 2017, gwnaeth Llywodraeth Cymru 'Addysg Cydberthynas a Rhywioldeb' yn orfodol fel rhan o'r cwricwlwm yn ysgolion Cymru. O ganlyniad, ers mis Medi 2022 nid oes gan rieni yr hawl i dynnu eu plant o'r gwersi hyn.[1]

Os caiff ei wneud yn iawn, mae'n bosib y daw addysg rhyw

---

1 Mae'r grŵp actifyddion Child Protection Wales wedi arwain ymgyrch i atal y bil RSE gorfodol, gan ddosbarthu taflenni i rieni wrth gatiau ysgolion a'u postio drwy flychau llythyrau'r cyhoedd – sef ymgais i wahardd dysgu plant am ffiniau neu ymreolaeth gorfforol.

gynhwysfawr mewn ysgolion â manteision enfawr o ran trin menywod a merched ledled Cymru am genedlaethau i ddod, a byddai hyn yn anuniongyrchol yn beth cadarnhaol ar gyfer y menopos. Ar hyn o bryd, mae rhagfarn ar sail rhywedd mewn gofal iechyd yn fater enfawr a pharhaus – mae hanesion ac ymchwil academaidd yn dangos tuedd annifyr o fewn y diwydiant meddygol i ddiystyru poen menywod. Canfu arolwg diweddar gan Newson Health fod 23% o fenywod a nododd symptomau'r menopos wedi cael presgripsiwn o gyffuriau gwrthiselder, yn hytrach nag HRT, yn groes i ganllawiau NICE (The National Institute for Health and Care Excellence). Y peth trist yw nad yw hyn yn syndod, o ystyried i weinidog yn Llywodraeth Cymru, Lee Waters, gyfeirio yn 2022 at sylwadau gwrthwynebydd gwleidyddol benywaidd fel rhai 'hysterical'.

Nid yw'r duedd o wneud diagnosis o broblem iechyd meddwl, pan fydd y broblem yn ei hanfod yn gorfforol, yn benodol i'r menopos. Mewn gwirionedd, mae'n broblem barhaus ac eang yn y maes meddygol, gan ddechrau mor bell yn ôl â'r hen Aifft, lle roedd annormaleddau ymddygiad mewn menywod yn aml yn cael eu priodoli i *hysteria*. Heddiw, mae menywod sy'n ymweld ag adrannau achosion brys â 'phoen acíwt' yn llai tebygol na dynion o gael eu rhoi ar opioidau ac yn aros yn hirach wedyn i'w derbyn. Mae poen menywod hefyd yn llawer mwy tebygol o gael ei nodi fel 'gorbryder', ac mae menywod yn fwy tebygol o gael eu trin fel cleifion seiciatrig, hyd yn oed pan fo'u hanhwylderau'n rhai corfforol. Dim ond mor ddiweddar ag 1980 y tynnwyd hysteria o'r Llawlyfr Diagnostig ac Ystadegol ar Anhwylderau Meddyliol.[2]

Gellir rheoli'r anghysur a achosir gan symptomau'r menopos trwy gyfuniad o wneud newidiadau i'n ffordd o fyw a thriniaeth hormonaidd. Ond cyn y gall llai o symptomau ddod yn realiti, rhaid sicrhau bod ymwybyddiaeth ddigonol ymhlith y boblogaeth yn gyffredinol, yn ogystal â digon o gydnabyddiaeth

---

2 Cecilia Tasca, Mariangela Rapetti, Mauro Giovanni Carta, a Bianca Fadda. 'Women and Hysteria in the History of Mental Health', *Clinical Practice and Epidemiology in Mental Health*, 8.1 (2021), 110–19.

a hyfforddiant yn y maes meddygol. Er na allwn feio'r cwricwlwm ysgol a diffyg addysg rhyw am y gamddealltwriaeth o'r corff benywaidd a chyngor meddygol peryglus, mae gweithredu polisi addysg cynhwysfawr, ar gyfer y ddau ryw, yn fan synhwyrol i ddechrau mynd i'r afael â'r bylchau cymdeithasol enfawr hyn. (Bylchau yw'r rhain a ddaw'n frawychus o amlwg wrth gael un cip sydyn ar 'Bad Women's Anatomy' ar Reddit. Os nad ydych wedi darganfod y 'subreddit' yma eto, arllwyswch wydraid o rywbeth blasus i chi'ch hunan a chliriwch eich amserlen!)

Yn 2021, cynhyrfodd Davina McCall y dyfroedd gyda'i rhaglen *Sex, Myths and the Menopause*, gan arwain at gynnydd sylweddol yn y galw am HRT. Tra bod Cymru'n parhau i ddefnyddio ei phwerau datganoledig i gynnig presgripsiynau am ddim, gan gynnwys presgripsiynau ar gyfer HRT, mae'n rhaid i'r rhai sy'n byw yn Lloegr dalu am eu meddyginiaeth o hyd. Roedd adroddiad diweddar gan Grŵp Seneddol Hollbleidiol ar y Menopos yn cynnwys sicrhad bod meddygon yn cael hyfforddiant ar y menopos (yn warthus, dyw hynny ddim yn wir am y rhan fwyaf ohonynt), a galwodd am i bob menyw dros 45 oed gael mynd at y meddyg i drafod y menopos.

Byddwn i'n awgrymu bod angen i'r sgyrsiau hyn ddigwydd yn gynt – mae 'na fenywod o dan 45 oed sy'n cael eu heffeithio gan y menopos neu'r perimenopos, gan gynnwys y rhai sy'n cael menopos a achosir gan lawdriniaeth. Mewn gwirionedd, pe bai gwell ymwybyddiaeth a thrafodaeth fwy agored yn gyffredinol, efallai y byddai'r angen am ymgynghoriad meddyg unigol yn cael ei negyddu. Daw hyn â ni'n ôl at yr angen am addysg rhyw drylwyr a chywir ar gyfer pawb, gan ddechrau mewn ysgolion. Rwy'n gobeithio y bydd y cynlluniau Addysg Cydberthynas a Rhywioldeb newydd yn cyflawni llawer mwy na'r addysg rhyw a gefais i yn y nawdegau a'r dim-dimau, pan oedd bechgyn a merched yn cael eu dysgu ar wahân. Dangoswyd tampon yn ehangu mewn gwydraid o ddŵr i ni, a dim lot mwy. A dweud y gwir, rwy'n falch iawn o weld y newidiadau i'r cwricwlwm, ac o weld y menopos yn cael ei drafod gymaint yn fwy agored y dyddiau 'ma.

Nid rhywbeth a fyddai o fudd i hanner y boblogaeth yn unig ydy gwell addysg, dealltwriaeth a gwell cymorth i fenywod yn dilyn y menopos. Mae astudiaethau wedi dangos bod esgeulustod hirdymor o'r menopos yn ein sector iechyd yn costio £10bn i economi'r Deyrnas Unedig, gan fod menywod yn aml yn gadael eu swyddi yn ystod y cyfnod heriol ond anochel hwn yn eu bywydau. Mae'r effeithiau uniongyrchol ar y Gwasanaeth Iechyd Gwladol hefyd yn sylweddol – mae tua hanner gweithlu'r Gwasanaeth Iechyd yn 45 oed neu'n hŷn, a 77% yn fenywod. Pe bai un o bob deg o fenywod menoposaidd yn y Gwasanaeth Iechyd yn gadael eu swyddi, fel sy'n wir ym mhoblogaeth ehangach y Deyrnas Unedig, byddai cadw'r staff hynny yn arbed tua £700m i'r Gwasanaeth Iechyd.[3]

Er gwaethaf yr achos cryf dros ddiwygio polisi ynghylch y menopos yn gyfan gwbl, mae cynigion diweddar i newid deddfwriaeth y Deyrnas Unedig i amddiffyn hawliau menywod menoposaidd wedi cael eu gwrthod gan y llywodraeth, yn rhannol oherwydd ofnau y byddai cam o'r fath yn 'gwahaniaethu yn erbyn dynion'. Go iawn! Mae llywodraeth y Deyrnas Unedig hefyd wedi gwrthod galwadau am gynllun peilot ar gyfer 'Menopause Leave' yn Lloegr. Er bod cyfraith achosion yng Nghymru yn mynnu bod yn rhaid ystyried gwybodaeth feddygol, nid oes deddfwriaeth benodol yn mynd i'r afael ag effaith y menopos yn y gweithle, rhywbeth y mae gan y Senedd y pŵer i'w weithredu.

Gallai annog gwell dealltwriaeth o'r menopos a'i symptomau, yn ogystal â bioleg menywod yn gyffredinol, gael effaith hynod gadarnhaol ar feysydd fel cyfreithiau cyflogaeth, y maes meddygol a pholisïau'r llywodraeth. Amser a ddengys a fydd penderfyniad Llywodraeth Cymru i gyflwyno addysg rhyw orfodol mewn ysgolion ar draws y wlad yn arwain at lai o ragfarn feddygol, yn ogystal â phrofiadau mwy positif o'r menopos ymhen deng mlynedd ar hugain, ond am y tro, rwy'n parhau i fod yn menopositif.

3   Kate Muir. 'It's the menopause, stupid – why Britain can't afford to ignore women's health', *The Guardian*, 17 Hydref 2022.

Pam dioddef heb angen?

Bethan Gwanas

Pan o'n i'n hanner cant a thri, naci, yn bum deg tri – mae'n swnio'n iau – mi wnes i gyflwyno cyfres deledu o'r enw *Y Menopos a Fi*. Meinir Gwilym oedd y cynhyrchydd a dwi'n dal ddim yn siŵr pam ofynnodd hi i mi wneud y cyflwyno. Ond roedd hi ei hun yn llawer rhy ifanc wrth gwrs. Dwi'm yn cwyno, mi wnes i fwynhau bob munud o'r profiad.

Do'n i ddim wedi cael unrhyw un o symptomau'r menopos fy hun ar y pryd ond roedd fy oed yn deud y byddai ar ei ffordd unrhyw funud, felly roedd o'n gyfle gwych i ddysgu bob dim ro'n i angen ei wybod. Mi ges i sgwrsio efo merched o bob oed, rhai oedd wedi bod drwyddo'n ifanc iawn – ac wedi methu cael plant o'r herwydd – rhai oedd wedi dioddef yn arw ac yn dal i wneud, rhai oedd yn dweud na chawson nhw unrhyw symptomau o gwbl (ac ambell un braidd yn smyg am hynny), rhai oedd yn defnyddio dulliau 'naturiol' o ddelio gydag o a rhai oedd wedi llyncu unrhyw dabledi HRT oedd ar gael yn syth bìn.

Wedi pwyso a mesur bob dim, pan ddechreuais i brofi'r pyliau poeth ar adegau gwirioneddol anghyfleus, fel ynghanol rhoi gwersi Cymraeg i oedolion a chael trafferth canolbwyntio ar sgwennu oherwydd diffyg cwsg, es i'n syth ar yr HRT. Er 'mod i wedi gwario ffortiwn yn Holland & Barrett dros y blynyddoedd ar wahanol bethau homeopathig, ro'n i wedi penderfynu bellach 'mod i wedi bod yn gwastraffu fy mhres. Efallai fod gwahanol blanhigion yn gweithio i chi – 'dan ni i gyd yn wahanol wedi'r cwbl – ond wnaeth y *turmeric* na'r *green-lipped mussels* affliw o ddim i'r cricmala yn fy mhengliniau i, felly mi gafodd y *black cohosh* fynd i ganu hefyd.

Dwi'n dal ar yr HRT rŵan. Pam dioddef heb angen, yndê? Pan fydd gen i gur pen, dwi'n llyncu parasetamol; pan fydd gen i ddannodd, dwi'n mynd at y deintydd. Nid pawb sy'n gallu mynd ar HRT, ond mae'n fy siwtio i'n iawn, felly mi fyddwn i'n wirion i beidio â chymryd mantais ohono fo. Ac mae o am ddim!

Roedd gen i hefyd wir ofn colli fy libido. Mae rhyw wedi bod yn bwysig i mi erioed (wel, ddim erioed, ond dach chi'n gwybod be dwi'n feddwl), ac roedd clywed merched hŷn yn sôn eu bod jyst wedi colli diddordeb yn llwyr bron dros nos yn fy ngwneud i'n reit nerfus. Mi weithiodd y tabledi am hir ond mae gen i deimlad bod yr effaith wedi pylu bellach – neu jyst fi a fy nghorff sy'n hen a dyna fo. Mae'r awydd yn dal yna, ond dim ond bob hyn a hyn, ac mae gwylio'r bennod ddiweddaraf o *The Great British Sewing Bee* weithiau'n apelio mwy, a bod yn onest. A dwi'n eitha siŵr hefyd nad yw'r uchafbwyntiau yn para cweit fel y bydden nhw. Nid sôn am y gwnïo ro'n i yn fan'na gyda llaw.

Ond dydy hynna ddim yn digwydd i bawb, cofiwch. Mae rhai'n dal i fwynhau libido bywiog drwy'r cyfan. Mae gen i gyfaill (sy'n nain ers tro byd) a drodd yn 'anifail' ar ôl y menopos. Ei geiriau hi, nid fy rhai i! "Ro'n i isio 'nhamed rownd y ril," meddai, "a doedd y gŵr ddim yn gwybod be i'w wneud efo fi, wir..." Felly dyna brofi ei fod o'n brofiad gwahanol iawn i bawb ac nad oes rhaid i'r ochr gorfforol ddod i ben.

Maeth i'r meicrobeiom

Elin Prydderch

Mae ein hormonau yn cael eu dylanwadu yn fawr gan y bwydydd rydyn ni'n eu bwyta. Mae'r ffordd rydyn ni wedi bod yn bwyta yn ein tridegau a hyd yn oed yn ein hugeiniau yn cael dylanwad ar ein menopos.

Mae'r system dreulio yn chwarae rhan bwysig ac yn dylanwadu ar ein hormonau, yn arbennig y coluddyn. Yn y coluddyn, wrth gwrs, mae'r maeth yn cael ei amsugno o'r bwyd rydyn ni'n ei fwyta er mwyn ei ddefnyddio i atgyweirio a chynnal ein cyrff. A gan y coluddyn hefyd y mae'r dylanwad mwyaf i leihau symptomau'r menopos.

Yn y coluddyn mae gan bob un ohonon ni dros 100 triliwn o facteria, feirysau a ffyngau, sef y meicrobeiom, sydd yn arbennig o bwysig ar gyfer ein hiechyd, ynghyd â chynnal cydbwysedd ein hormonau. Mae gennym fwy o facteria nag o gelloedd yn y corff! Felly mae gofalu am y rhain yn hanfodol ar gyfer ein hiechyd, ac yn wir ar gyfer cadw symptomau'r menopos dan reolaeth. Mae gan y croen ei feicrobeiom ei hun hefyd, yn ogystal â'n fagina a thu mewn i'r geg.

Mae meicrobeiom y coluddyn yn dylanwadu ar gymaint o systemau eraill y corff. Rhan hanfodol o gefnogi eich menopos yw edrych ar ôl eich coluddyn a bwydo'r meicrobeiom yn dda. Bydd gofalu am y meicrobeiom yn cael dylanwad positif ar y canlynol:

- lleihau ymwrthedd i insiwlin;
- lleihau haint y bledren a haint yn y fagina;
- gwella'r gallu i ddelio â straen;
- lleihau gorbryder ac iselder, a gwella'r cof;
- gwella cwsg;
- gwella bol chwyddedig a gwynt;
- helpu i gadw gordewdra draw;
- cefnogi cydbwysedd yr hormonau a chael dylanwad ar oestrogen;
- cefnogi iechyd y croen;
- cefnogi imiwnedd.

Wrth edrych ar y rhestr uchod, mae'n hawdd gweld sut mae rhai o symptomau'r menopos yn cael eu dylanwadu gan gyflwr ein meicrobeiom. Dyma rai o symptomau'r menopos:

- ymwrthedd i lefelau insiwlin;
- cynnydd yn haint y bledren a'r fagina;
- ymateb yn wael i straen;
- gorbryder, iselder, a mynd yn anghofus;
- diffyg cwsg;
- bol chwyddedig a mwy o wynt;
- magu pwysau;
- mwy tebygol o gael cyflyrau croen;
- symptomau o oruchafiaeth oestrogen.

Beth sydd yn amharu ar y meicrobeiom?

- bwydydd wedi eu prosesu;
- deiet sydd yn uchel mewn braster dirlawn (*saturated fat*);
- alcohol;
- llaeth buwch;
- glwten;
- diffyg ffeibr o blanhigion;
- gormod o goffi;
- soia heb ei eplesu (*fermented*);
- meddyginiaeth wrthfeiotig;
- straen;
- diffyg dŵr;
- diffyg ymarfer corff.

Beth sydd yn cefnogi'r meicrobeiom felly?

Mae'r meicrobeiom yn hoffi ffeibr o blanhigion, felly mae hyn yn golygu ffeibr o lysiau – llysiau gwyrdd yn arbennig ar gyfer y menopos – ffrwythau, codlysiau (*pulses*), ffa, corbys, carbohydrad cyflawn (e.e. reis brown), hadau a chnau.

Mae fitaminau a mineralau hefyd yn bwysig dros ben. Mae amrywiaeth o ffeibr gwahanol yn hynod o lesol er mwyn bwydo'r gwahanol fathau o facteria sydd yn y coluddyn.

Bwydydd wedi eu heplesu

Mae'r rhain yn cynnwys eu bacteria eu hunain sy'n gwneud daioni mawr i'r meicrobeiom. Maent yn gallu ein helpu ni i golli pwysau, i gynyddu effeithiolrwydd y meddwl, ac i leihau dylanwad straen. Ystyriwch ychwanegu rhai ohonynt at eich deiet. Peidiwch ag ychwanegu'r cyfan ar yr un pryd, ond dechreuwch gydag un neu ddau ac wedyn amrywio dros gyfnod o amser.

- **Ceffir**– mae cymaint o facteria da ynddo, gan gynnwys *actobacilli*.
- **Kimchi** – daw'n wreiddiol o Korea ac mae'n cynnwys sbeisys.
- **Sauerkraut** – bresych wedi ei eplesu.
- **Kombucha** – diod befriog wedi ei gwneud o de.
- **Miso** – soia wedi ei eplesu.
- **Tempeh** – soia wedi ei eplesu.

Gwyrth mewn hadau

Mae hadau yn llesol iawn i ni, yn enwedig yn ystod y menopos. Y rhai mwyaf cefnogol yw hadau llin/fflacs (*flax seeds*). Maent yn eich helpu i deimlo'n llawn yn hirach, yn help i golli pwysau, yn cefnogi iechyd y coluddyn wrth fwydo'r meicrobeiom, yn eich arbed rhag mynd yn rhwym (*constipated*), ac yn helpu i gydbwyso eich hormonau wrth gynorthwyo'r coluddyn i gael gwared ar oestrogen andwyol. Maent hefyd yn helpu i gynnal cydbwysedd siwgr yn y gwaed, yn lleihau colesterol, ac yn lleihau llid (*inflammation*) yn y corff.

Mae angen malu'r hadau cyn eu bwyta er mwyn rhyddhau'r olew sydd ynddyn nhw, a chofiwch eu gwarchod rhag golau a gwres. Mae hadau pwmpen, *chia*, hemp a blodau haul hefyd yn llesol iawn gan eu bod yn cefnogi eich lefelau omega-3 ynghyd â rhoi ffeibr i'r corff.

Peidiwch ag anghofio protin

Mae angen cynyddu protin yn y deiet yn ystod y menopos, gan ei fod yn helpu i gynnal cydbwysedd siwgr yn y gwaed, yn lleihau ein chwant am fwyd, yn helpu i fagu cyhyrau iach, ac yn gallu ein helpu i reoli ein pwysau. Wrth gwrs, cig yw'r ffynhonnell orau o brotin, ond dyw pob cig ddim yn llesol. Ystyriwch ddewis pysgod yn hytrach na chig.

Un ffordd o gynyddu protin yw drwy fwyta mwy o ffa, corbys a chodlysiau, a hefyd bowdr protin. Mae'r rhain yn boblogaidd iawn gan eu bod yn aml yn rhoi lefel uchel o brotin i ni. Dewiswch y rhai sydd yn fegan, gan fod y rhai sy'n cynnwys maidd (*whey*) yn creu llid yn y coluddyn, a gwnewch yn siŵr eu bod yn cynnwys mineralau a fitaminau ychwanegol hefyd. Mae modd ychwanegu hadau, llysiau ac aeron atynt yn ogystal, i'w gwneud yn fwy maethlon.

Dyma ambell rysáit sydd yn cefnogi iechyd eich meicrobeiom.

Bolonês Tempeh

Cynhwysion:

2 lond llwy fwrdd o olew olewydd
1 nionyn wedi ei dorri'n fân
2 glof garlleg
140g madarch
225g *tempeh* wedi'i dorri'n ddarnau bach
1 llond llwy fwrdd o biwre tomato
1 llond llwy de o bast miso mewn hanner peint o ddŵr
1 tun o domatos
1 llond llwy fwrdd o saws soia tamari
Pinsiad o halen Himalaiaidd
Pinsiad o bupur du
Reis brown

Dull:

1. Cynheswch yr olew, ychwanegu'r nionyn a'r garlleg a'u coginio am 5 munud.
2. Ychwanegwch y madarch a'r *tempeh* a'u ffrio tan eu bod yn feddal.
3. Cymysgwch y piwre, y stoc, y tomatos, y tamari, yr halen a'r pupur du.
4. Berwch y cyfan yn dyner am 15–20 munud. Yn y cyfamser berwch y reis.

Granola

Rhowch gynnig ar hwn i frecwast, yn lle prynu granola parod, llawn siwgr. Mae'n hawdd ac yn flasus iawn – ac yn dda i chi!

Cynhwysion:

120g gwenith yr hydd (*buckwheat*)
1 llond llwy de o olew reis bran (*rice bran oil*)
Halen Himalaiaidd
60g reis chwyddedig (*puffed rice*) brown
20g resins
20g bricyll sych (*dried apricots*)
2 lond llwy de o hadau pwmpen
2 lond llwy de o hadau blodau haul
2 lond llwy de o hadau llin/fflacs
2 lond llwy de o goconyt mân

Dull:

1. Tostiwch y gwenith mewn sosban ar wres isel a'i droi tan iddo newid ei liw i frown golau.
2. Trowch y gwres i ffwrdd ac ychwanegu'r olew a phinsiad o halen Himalaiaidd.
3. Cymysgwch y gwenith gyda gweddil y cynhwysion.

Pwdin sydyn

Cynhwysion:

1 banana melyn/gwyrdd
1 afocado
1 llond llwy de o bowdr cacao
1 llond llwy de o hadau llin/fflacs wedi'u malu

Dull:

Gyda chymysgwr llaw, blendiwch y cyfan, ac yna roi'r hadau ar ei ben.

Menopos Mennapos

Menai Lloyd Pitts

♫ *Fi sydd fenyw ifanc ffôl... yn byw yn ôl fy ffansi* ♫

Dyna o'n i'n hymian ganu wrth gerdded i lawr stryd fawr Bangor ar brynhawn dydd Sadwrn prysur yn ddiweddar. Ro'n i newydd gyfarfod hen ffrind ysgol am ginio, a chael dwy awr o hwyl a mwydro wrth hel atgofion am orffennol ifanc a ffôl.

Cefais fy hudo i mewn i Boots gan hysbyseb yn y ffenest – '20% off Premium Beauty'. Roedd y siop yn llawn genethod diflewyn-ar-wyneb a bechgyn barfog glân, destlus. Pobl dlws a oedd, am wn i, hefyd wedi cael eu hudo gan y disgownt ar gynnyrch harddwch. Roedden ni i gyd â'r un amcan – i edrych yn harddach, i ogleuo'n neis ac i deimlo'n well.

Rhoddais fanion yn fy masged a mynd at y til i dalu. Gwariant byrbwyll oedd hwn – dwi'n gwneud gormod o lawer o hynny – a gan nad oeddwn wedi bwriadu siopa, doedd genna i ddim bag i gario'r geriach. Roedd y siop wedi rhedeg allan o fagiau, felly gadewais efo llond dwylo o geriach a cherdded yn sionc i lawr y stryd yn ôl am y car. Eiliadau yn ddiweddarach, cwta bymtheg cam sionc o ddrws y siop, dyma fi'n sefyll ar orchudd gwter, bachu sawdl a chwympo i'r llawr yn ddramatig. Mae'r atgof yn fy mhen fel ffilm *slo-mo*, lle dwi'n chwifio fy mreichiau a thaflu nwyddau'r siop i'r awyr, cyn glanio ar fy hyd ar y llawr yn ddiurddas fel sach o datws. Ugain mlynedd yn ôl mi faswn wedi

neidio'n ôl ar fy nhraed yn syth, a chymryd arnaf 'mod i heb gynhyrfu dim. Ond ddim bellach. Dyna lle ro'n i, yn llythrennol yn gorwedd mewn gwter, mewn sioc, cywilydd a phoen. Ro'n i ar fy nghefn ar y llawr ar ganol stryd brysur. Agorais fy llygaid a gweld criw o bobl yn edrych i lawr arna i.

"You ok, hun?"

"Dach chi 'di brifo?"

Roedd fy mhen i'n troi wrth i mi glywed y lleisiau: "Bechod!"; "Dach chi'n iawn, del?"; "Gadewch i ni helpu."; "Is she ok?"; "Dach chi 'di torri rhywbeth?"; "Ma hi mewn sioc"; "Should we call an ambulance?"; "She probably has concussion, aye"…

"Na, dwi'n ocê, dwi'n iawn, I'm fine. Wir yr!" atebais.

"Dach chi isio help i godi?" medda un ddynas fechan eiddil, gwallt gwyn, siampŵ a set, dynas ffeind yr olwg oedd yn amlwg wedi pasio oed yr addewid. Estynnodd ei llaw allan.

"Mae'n anoddach pan dach chi'n hŷn, yn dydy, 'mechan i?"

Aw! Digywilydd! Ond wrth gwrs, roedd hi'n llygad ei lle.

"Dwi'n iawn, 'chi, diolch. Dwi'n ocê," dywedais wrth godi ar fy eistedd.

"Mi fydd angen craen i godi hon!" chwarddodd un dyn oedd newydd ddod allan o'r siop farbwr dros ffordd wedi cael OAP Cut. "Mae hi'n un nobl." A gyda help y dyn powld, a dau berson arall 'tebol, codais ar fy nhraed gan ddiolch iddyn nhw wysg fy nhin.

Chwarae teg, roedd pobl wedi codi'r geriach ro'n i newydd eu prynu a dyma nhw'n eu rhoi'n ôl i mi fesul un… Milk Thistle, Magnesium, Vitamin D, Hair Removal Cream, Collagen Hair Thickening Shampoo, Intimate Female Wipes, Panty Liners, Vaginal Dryness Cream, Maca Root Libido Booster – a dyma Mrs Siampŵ a Set yn gofyn o'n i'n un dda ar y carioci wrth estyn y Self Love Rechargeable Massage Wand i mi. Ro'n i wedi gwrido at fy nghlustiau.

Croeso i fyd Mennapos.

Dwi'n cofio yn union lle o'n i pan gychwynnodd y menopos i fi. Galeri, Caernarfon ar 21 Rhagfyr 2017 yn gwylio sioe Cabarela. Roedd y lle ar dân, neu mi o'n i'n teimlo fel tasa'r lle ar dân. Teimlais y gwres yn codi o fy mherfedd i 'nghorun. Es allan am awyr iach – roedd hi'n noson oer a sych. Wrth i mi ddod 'nôl i mewn roedd criw o ferched ar eu ffordd allan a dyna un yn gweiddi, "Omaigod, genod, mae'n piso bwrw, rhaid i ni ffonio tacsi!"

'Nes i eu sicrhau nhw nad oedd hi'n glawio.

"Omaigod! Go iawn? Be sy haru chdi 'ta? Ti'n fflipin socian!" Dwn i'm.

"Ti 'di bod mewn ffeit? 'Sa rhywun wedi taflu peint drosta chdi?" Na.

Un ddynas ganol oed yn pasio a rhoi winc gwybodus. "Hot fflysh!"

A dyna gychwyn fy siwrna ar y *rollercoaster* menoposaidd.

Ro'n i wedi profi symptomau rhyfedd ers tro ond heb wneud cysylltiad â'r menopos. Gwrthod derbyn fy mod yn heneiddio, fwy na thebyg, gan fy mod yn dal i deimlo a bihafio fel merch yn fy arddegau ar adegau.

Un o'r symptomau cyntaf i mi ei brofi oedd pyls yn fy nhrwyn. Ddim pyls bach ysgafn disylw ond lwmp o byls. Weithia roedd fy nhrwyn yn teimlo fel petai wedi ei animeiddio – o'n i'n siŵr bod pobl yn gallu gweld fy nhrwyn o bell, yn fawr ac yn goch gyda churiad fel calon ar ganol fy wyneb.

Wedyn 'nes i ddechrau cael poenau. O'n i'n eitha sicr bod y gân 'Pen, ysgwyddau, coesau, traed' yn gân am symptomau'r menopos nes i mi sylwi 'mod i wedi mynd yn rhy stiff a rhy dew yn ystod y menopos i gyffwrdd fy nhraed.

Y symptom nesa oedd diffyg cwsg. Ro'n i'n effro am oriau

bob nos, yn gweld y cloc am ddau a thri a phedwar a phump, weithiau heb ddim rheswm, weithiau am sawl rheswm, fel bod yn ferwedig o boeth, bod mewn poen corfforol neu feddyliol – ro'n i'n pryderu ac yn gofidio am bopeth. Gwastraffu oriau yn poeni fy enaid am bethau oedd y tu hwnt i fy rheolaeth.

Yna daeth y blinder afresymol. 'Nes i ddatblygu sgìl newydd o syrthio i gysgu yn unrhyw le, unrhyw adeg, a chysgu 'nes i, sawl gwaith. Dwi'n cofio galw heibio Yncl Gruff a chael sgwrs dros baned a thamed o fara brith, yn eistedd ar stôl yn ei gegin, ac er bod y sgwrs yn un ddigon difyr, mi wnes syrthio i gysgu. Ar stôl! Buan iawn 'nes i ddeffro wrth syrthio oddi ar y stôl a chwalu cwpan Royal Albert Yncl Gruff yn deilchion. Ymddiheurais a cheisio egluro i Yncl Gruff am y menopos ond, wrth reswm, doedd gan yr hen lanc ddim diddordeb. Rhyfedd! Ond ychydig iawn o ddynion sydd â diddordeb, a llai byth o ddynion sy'n deall.

Roedd fy ngŵr yn methu deall pam 'mod i wedi newid o fod yn berson rhesymol, hynaws ac amyneddgar i fod yn Menna Meldrew afresymol o flin. Do'n innau ddim yn deall pam chwaith, ond ewadd, o'n i'n flin! Ddim yn flin efo pobl ond efo pethau fel pys, sgriwdreifers, *chargers* a seti toilet. Pam mae angen gymaint o ddewis o bob dim dyddia yma? *Mushy, garden, marrowfat, petits pois, chick*, Torx, Tri-wing, Hex, Torque, Pozidrive… be ddigwyddodd i Flathead a Phillips? Ac mae'r tŷ acw yn llawn cêbls a *chargers* o wahanol fathau a gwahanol faint i wahanol bethau. A 'nes i ffendio fy hun yn siarad lot efo seti toilet yn ddiweddar, gweiddi yn uchel ac yn flin i sicrhau bod y gŵr yn clywed, "Pam bo' chdi fyny eto?", "Twt twt!", "Sbia blêr wyt ti!", "Sgin ti ddim parch at ferched, nag oes? Neu mi fysa chdi lawr, yn barod am fy mhen ôl i!" Ar ôl gofyn yn glên, a gofyn ddim mor glên, ac erfyn, a dim byd yn newid, 'nes i benderfynu mai'r unig ateb oedd tynnu seti toilet y tŷ a'u cloi nhw ym mŵt fy nghar. Mi weithiodd. Mae'r seti yn ôl ar y toilet ac yn parchu merched!

'The change' maen nhw'n galw'r cyfnod yma yn Saesneg, sy'n ddisgrifiad addas iawn – mae'r newidiadau corfforol a meddyliol yn gallu bod yn newid mawr ac yn sicr yn heriol. 'Dan ni'n magu pwysau, ogleuo'n wahanol, colli gwallt, magu blew, colli libido, colli stamina, methu canolbwyntio, anghofio, teimlo fel bo' ni'n colli'r plot, colli mynadd... Dwi bron â gwisgo crys-T efo 'MYNADD!' arno yn ddyddiol.

Cael cawod bob bore... Mynadd!

Gwaith tŷ... Mynadd!

Gwisgo colur... Mynadd!

Gwisgo bra... Mynadd!

Siopio... Mynadd!

Cwcio... Mynadd!

Ffwcio... Mynadd!

Mae'n bwysig fod y bobl o'n cwmpas yn deall hynny ac mae'n bwysig ein bod ni ferched yn cefnogi'n gilydd. Peidiwch â bod fel eich neiniau neu efallai eich mamau, a diodde'r symptomau yn dawel, cerwch i weld meddyg i sicrhau mai'r menopos ydy achos eich symptomau. Trafodwch, gofynnwch am gyngor a help, a gwnewch yr hyn sy'n iawn i chi, boed yn gadw'n ffit a bwyta'n iach, yn Evening Primrose Oil neu'n HRT, yn Mindfulness neu CBT, neu'n Self Love Rechargeable Massage Wand.

Mennapos x

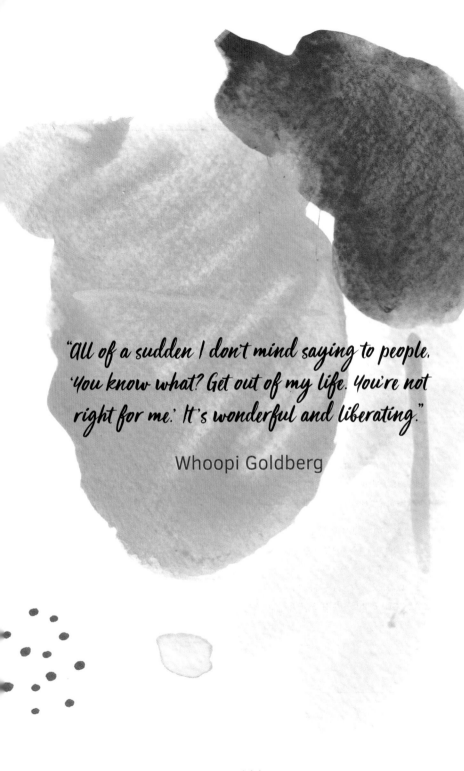

"All of a sudden I don't mind saying to people, 'You know what? Get out of my life. You're not right for me.' It's wonderful and liberating."

Whoopi Goldberg

ar draws y byd

Pam mae menywod gwledydd y Gorllewin yn dioddef symptomau'r menopos yn waeth na menywod eraill ar draws y byd? Pam dyw rhai menywod ddim yn cael eu heffeithio gan unrhyw fath o symptomau? Beth am i ni fwrw golwg ar rai gwledydd, cymdeithasau a diwylliannau eraill er mwyn dysgu mwy ac ehangu'n gwybodaeth am y menopos o gwmpas y byd?

Ydy diwylliant y Gorllewin yn gyffredinol yn batriarchaidd, ac yn trin menywod aeddfed fel aelodau llai pwysig o'r gymdeithas? Oes yna ryw feddylfryd bod menywod yn cael eu trin yn israddol pan maen nhw'n cyrraedd rhyw oed arbennig? Mae'n wir bod menywod mewn rhai rhannau eraill o'r byd yn ymdrin â'r cyfnod yma nid yn unig fel diwedd y mislif, ond fel cyfle i ddathlu'r Newid ac i ddechrau cyfnod newydd, cyffrous yn eu bywydau.

Yn ôl Dr Mary Jane Minkin, o Ysgol Feddygol Yale: 'In societies where age is more revered and the older woman is the wiser and better woman, menopausal symptoms are significantly less bothersome. Where older is not better, many women equate menopause with old age, and symptoms can be much more devastating.'

Japan

Y gair yn Japan am y menopos yw *konenki*;
ko = adnewyddu ac adfywio,
nen = blwyddyn neu flynyddoedd, a
ki = tymor neu egni.

Cymharwch hyn gyda'r gair 'menopos',
sydd â'i wreiddiau yn yr iaith Roegaidd:
men = mis
pos = stopio,
sy'n dangos mai ystyr lythrennol
menopos yw stopio'r mislif.

Mewn un arolwg diweddar, dim ond 25% o fenywod Japaneaidd oedd yn dioddef o byliau poeth ac, yn rhyfedd iawn, roedd teimlo oerfel yn ffactor mwy amlwg. Ond y prif symptom, credwch neu beidio, oedd ysgwyddau stiff.

Efallai fod y diffyg symptomau ymysg menywod Japan yn deillio o'u deiet. Mae'r cynhwysyn soi yn amlwg iawn yn eu bwydydd (saws soi, ffa soia...), ac mae'n llawn phytoestrogen ac isoflavone sy'n dynwared oestrogen yn y corff ac yn cydbwyso'r hormonau. Mae hyn yn arwyddocaol oherwydd mae'r rhan fwyaf o symptomau'r menopos (fel pyliau poeth) yn deillio o ddiffyg oestrogen.

Mae menywod Japan yn byw'n hir – gyda'r hynaf yn y byd – gydag ychydig iawn o broblemau iechyd cronig fel clefyd y siwgr, arthritis neu bwysau gwaed uchel, ac mae'r achosion o osteoporosis yn hanner yr hyn a geir ymhlith menywod gwyn Gogledd America. Rhaid cofio bod deiet gwledydd y Gorllewin fel arfer yn uchel mewn mewn braster ac yn isel mewn ffeibr, sy'n achosi lefelau uchel o oestrogen yn y corff. Pan mae'r corff, felly, yn rhoi'r gorau i gynhyrchu oestrogen yng nghyfnod y menopos mae'r cwymp yn lefel yr oestrogen yn fawr.

Menywod Maia

Mae pobl y Maia â'u gwreiddiau ym Mecsico ac America Ganol, ac mae gwyddonwyr yn ddiweddar wedi eu rhyfeddu nad yw menywod o dras Maiaidd yn dioddef o symptomau traddodiadol y menopos. Ac mae menywod ardal Chichimilá, fel menywod Japan, yn osgoi osteoporosis bron yn gyfan gwbl. Maent hwythau hefyd yn bwyta bwydydd iach, naturiol, yn enwedig planhigion (*plant-based diet*), ac yn byw bywyd syml, hamddenol – a'r rhain yn sicr yn cyfrannu at lai o symptomau'r menopos.

Mae menywod Maiaidd yn edrych ymlaen at y menopos ac yn dathlu eu rhyddid a'u statws newydd. Maent yn dod yn arweinwyr ysbrydol yn y gymdeithas ac maen nhw, fel menywod Cree o Ganada, yn gorfod mynd drwy'r menopos cyn derbyn eu pwerau iacháu a siamanaidd. Yn lle colli gwaed o'r groth, maen nhw'n cadw'r hyn maen nhw'n ei alw yn 'waed doeth' ac yn cyrraedd eu cyfnod fel 'menywod doeth'.

Mae'r Maiaid hefyd, fel y Japaneaid, â pharch aruthrol at hen bobl. Mae eu profiadau yn ganolog i addysgu, ac mae mynd yn hen yn cael ei anrhydeddu mewn nifer o ddiwylliannau.

India

Yn India mae'r menopos yn cael ei gyfrif yn rhan naturiol o fywyd, sy'n dod â nifer o fanteision yn ei sgil. Roedd menywod yn Rajasthan, er enghraifft, yn cael eu gwarchod, eu cadw ar wahân ac yn gorfod gwisgo penwisg yn ystod blynyddoedd magu plant, ond ar ôl y menopos roedden nhw'n cael cymdeithasu gyda'r dynion, yfed cwrw a chael hwyl yn gyhoeddus.

Mae nifer fawr o fenywod India yn dioddef o waedu anghyffredin o drwm yn ystod y perimenopos, yn ogystal â blinder llethol a phoenau yn y cymalau. Ond, ar y cyfan, mae yna agwedd fod hwn yn gyfnod o ddathlu eu rhyddid.

Tsieina

Yn Tsieina hefyd mae'r meopos yn cael ei gyfri fel aileni, cyfnod pan mae'r egni a ddefnyddiwyd drwy eni plant a ffrwythlondeb yn gallu cael ei ddefnyddio i bwrpas arall.

Maen nhw'n dioddef llai o byliau poeth na menywod yng ngwledydd y Gorllewin, ac anaml iawn y maen nhw'n teimlo cywilydd am eu symptomau. Ond mae astudiaethau wedi dangos bod menywod sy'n byw mewn dinasoedd yn dioddef dipyn mwy na'r rhai sy'n byw yng nghefn gwlad.

Dyw HRT yn draddodiadol ddim wedi bod yn cael ei ddefnyddio'n helaeth yn Asia. Yn ôl arolwg a wnaed rai blynyddoedd yn ôl, dim ond 19% o fenywod ar draws Asia oedd yn defnyddio HRT ar gyfer lleddfu symptomau, ond ar y llaw arall roedd 37% yn defnyddio meddyginiaethau amgen neu lysieuol (*herbal*). Roedd defnydd HRT mor isel â 2.1% yn Tsieina ei hunan. Mae ymarfer ioga yn boblogaidd yng ngwledydd Asia ac mae ymchwil yn dangos bod hyn yn llesol i fenywod yng nghyfnod y menopos.

Y Dwyrain Canol

O ran symptomau, mae'n ymddangos bod menywod o Sawdi Arabia yn profi'r un math o byliau poeth â menywod y Gorllewin. Ond mae agweddau tuag at y menopos yn hollol wahanol.

Mae'r gair Arabeg am y menopos yn golygu 'oed anobaith', ond mae hyn yn cyfeirio at ddiwedd cyfnod magu plant yn hytrach na'i fod yn adlewyrchu agwedd negyddol tuag at heneiddio neu gyfnod y menopos. Mae bywyd ar ôl y menopos yn y Dwyrain Canol fel arfer yn golygu bywyd newydd, gyda menywod yn fwy cynwysedig ac â safle uwch mewn cymdeithas. Mae menywod Qatar, er enghraifft, yn croesawu'r menopos ac yn ei weld fel rhyddid. Maen nhw'n fwy cymdeithasol ar ôl y menopos, yn gallu cymryd rhan mewn gweithgareddau crefyddol, ac mae eu profiadau newydd yn dibynnu'n helaeth ar ba mor gefnogol yw eu gwŷr. Mae rhai gwragedd yn y Dwyrain Canol o'r farn, petai dynion y Gorllewin yn fwy cefnogol o'r menywod, na fyddai eu profiad o'r menopos mor negyddol.

Mae crefydd yn gallu chwarae rhan bwysig i fenywod y Dwyrain Canol, ac mae gweddïo'n brofiad cyffredin iawn. Mae gweddïo yn gyhoeddus mewn torf yn dod ag elfen gymdeithasol i'r profiad, wrth gwrs, ond mae cysur hefyd yn y ffaith fod Duw o'u plaid ac felly fod y menopos yn rhan naturiol o fywyd.

Mewn astudiaeth yn Iran, gwelwyd bod menywod yng nghefn gwlad â theimladau mwy negyddol am y menopos na rhai mewn trefi a dinasoedd. Mae hyn yn annisgwyl, gan fod menywod y ddinas yn cael eu dylanwadu'n fwy gan ddiwylliant ac agweddau mwy negyddol y Gorllewin. Roedd menywod y wlad yn rhoi mwy o bwysigrwydd ar eu ffrwythlondeb o ran eu statws, ac yn cael mwy o broblemau gyda'r menopos.

Rhai diwylliannau eraill

Mae menywod Papua Gini Newydd, isgyfandir India (e.e. Pacistan a Bangladesh) ac Americaniaid Brodorol yn croesawu'r menopos heb ddioddef cymaint o symptomau â menywod y Gorllewin. Ac yng ngogledd Sudan mae'r menopos eto'n golygu statws uwch a mwy o barch.

Mae meddyg yn y Gorllewin yn dueddol o roi presgripsiwn i fenyw sydd wedi colli ei libido yn ystod y menopos, ond dyw menyw Bengali sy'n dioddef yr un symptom ddim yn gweld hynny fel problem. Iddi hi, mae rhyw yn ystod y cyfnod yma yn rhywbeth hollol afresymegol beth bynnag.

Mewn rhai grwpiau sy'n rhan o ddiwylliant Cenhedloedd Cyntaf Gogledd America, does dim gair am y menopos hyd yn oed, dim ond cydnabyddiaeth bod y mislif misol wedi dod i ben. Efallai fod y symptomau yr un peth, ond dyw'r pyliau poeth a'r diffyg cwsg, er enghraifft, ddim yn cael eu cysylltu i'r un graddau â phroses y menopos.

Ac er bod menywod Indiaidd Gogledd America, Maorïaid Seland Newydd ac Aboriginiaid Awstralia o bosib yn dioddef yr un symptomau â menywod Cawcasiaidd, mae astudiaethau'n dangos nad ydyn nhw mor barod i reoli'r symptomau hynny drwy ddefnyddio rhywbeth fel HRT. Efallai fod hyn oherwydd dylanwad eu diwylliant, neu am fod angen rhagor o addysg a gwybodaeth am faterion iechyd.

"... all the women who said to me, 'Are you sure it's not menopause?' and I was like, 'No,' my mother never mentioned menopause, I don't even know if my mum had a menopause."

Coleen Nolan

Cerdded drwy'r newid

Dienw

Wrth edrych yn ôl, gallaf weld bod y siwrne drwy'r menopos wedi bod yn hirach nag yr oeddwn wedi meddwl. Efallai nad ydy e'n gorffen mewn gwirionedd, dim ond yn setlo i fod yn rhywbeth mae modd ymdopi ag e.

Doedd dim sôn go iawn am y menopos pan o'n i'n tyfu lan, ar wahân i ryw hanner jôc neu gyfeirio dan sibrwd at y 'change' fel esgus pan oedd modryb yn ymddwyn yn wahanol i'w chymeriad neu'n troi'n goch fel betys ac yn agor y ffenestri. Ches i ddim pyliau poeth fel hynny. Nid rhai amlwg, jyst rhyw deimlad fel embaras a bach o liw a gwres yn fy wyneb yn ystod y dydd a deffro'n boeth ac yn chwyslyd peth cyntaf yn y bore. Ddim mor wael â rhai!

TIP
Rhedwch ddŵr oer o'r tap ar du mewn eich garddyrnau.

Y symptomau seicolegol oedd rhan fwyaf annifyr y broses i fi. Doeddwn i erioed wedi meddwl amdanaf fy hun fel rhywun pryderus cyn dechrau'r perimenopos, ond yn ystod y cyfnod yna daeth pryder i nythu, a meddyliau ymwthiol am bob math o bethau ofnadwy allai ddigwydd yn ddisymwth.

Gorbryder corfforol oedd un o'm symptomau cyntaf. Teimlad nerfus yn y *solar plexus* oedd yn anodd ei shiffto, ac oedd wedyn yn effeithio ar fy hwyliau a gwneud i mi deimlo fel person gwahanol. Ar fy ngwaethaf roedd rhaid i fi atgoffa fy hun bod gen i hawl i fod yma a 'mod i'n werthfawr.

Daeth pyliau o deimlo'n eithafol o grac heb ddim rheswm hefyd – fel corwyntoedd cas nad oedd gen i reolaeth lawn arnyn nhw.

Es i ddim at y meddyg. Roeddwn i'n gwybod nad iselder oedd hyn. Fyddwn i ddim wedi cymryd *antidepressants* na chwaith HRT. Tybiais efallai y byddai hynny'n creu lefel ychwanegol o broblemau pan oeddwn, ar y cyfan, yn llwyddo i ymdopi. Anwybodaeth oedd wrth wraidd hyn. Rwy'n deall nawr fod nifer helaeth o'r meddyginiaethau hormonaidd sydd ar gael yn naturiol debyg o ran eu cemegau.

Y peth aeth â fi at y meddyg yn y diwedd oedd mor amrwd ddolurus oedd fy ngwain. Ces hufen a thabledi pitw bach i'w rhoi'n uchel tu fewn i'r wain. Roedd y gwahaniaeth yn anhygoel. O fewn dyddiau roedd yn gysurus eto, ac ar ôl pythefnos roeddwn i bron wedi anghofio pa mor anghysurus roedd hi'n arfer bod. Helpodd hyn gyda'r libido hefyd.

Mae'n wych bod yna bellach sgwrs agored, gwell dealltwriaeth o'r symptomau ac, yma yng Nghymru o leia, ei bod hi'n haws cael HRT. Rhyddhad yw gwybod y bydd y newid sydd wedi dechrau eisoes yn cynnig cefnogaeth i ferched y genhedlaeth nesa.

Rhestr ddefnyddiol

Llyfrau ffeithiol:

Menopausing – Davina McCall
The Good Menopause Guide – Liz Earle
Older and Wider – Jenny Eclair
More Than a Woman – Caitlin Moran
What Fresh Hell Is This? – Heather Corinna
Still Hot! – Kaye Adams a Vicky Allan
The Shift – Sam Baker
The M Word – Dr Philippa Kaye
Preparing for the Perimenopause and Menopause –
Dr Louise Newson

Llyfrau ffuglen:

Mefus yn y Glaw – Mari Emlyn
Broken Light – Joanne Harris
The Change – Kirsten Miller
Woman of a Certain Rage – Georgie Hall
Overgrown – Betsy Price
Queen Bee – Ciara Geraghty

Podlediadau:

Paid Ymddiheuro
Cylchdro
The Dr Louise Newson Podcast
Galloping Catastrophe
The Michelle Obama Podcast
Get Lifted with Lisa Snowdon
The Hot & Moody Podcast
Fortunately... with Fi and Jane
The Happy Menopause

Tudalennau Instagram a Facebook:

Instagram

menopos_atebion
menopausematters – cylchgrawn a gwefan gyda
194,000 o ddilynwyr
themenopausemedic – meddyg menopos a'r perimenopos
menopause_doctor – cyfrif yr arbenigwraig
Dr Louise Newson
dr_naomipotter – cyd-awdur *Menopausing* gyda
Davina McCall
meandmyhrt – taith bersonol Cathy Proctor
healthandherltd – gwefan yn gwerthu cynnyrch, ac app
defnyddiol

Facebook

Problema Menopos Genod!!!
Grŵp Menopos Caerfyrddin – beth am ddechrau
grŵp yn eich ardal chi?
Menopause Support Group
Let's Talk Menopause & Perimenopause
Menopause Misery – i fenywod yn unig!
The Chilled Menopause – cynghorion ar ddillad,
colur a bywyd

Hefyd gan *Cara*:

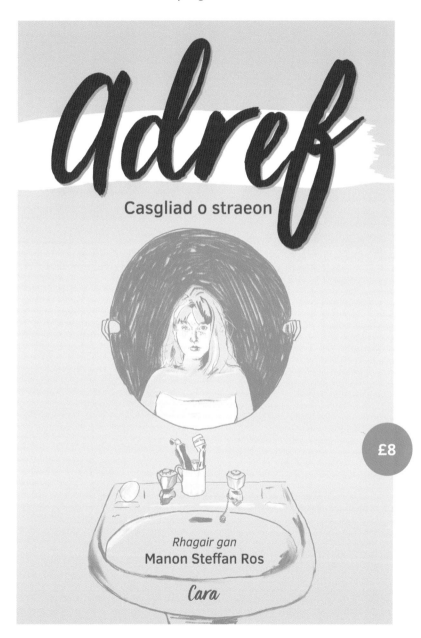

adref

Casgliad o straeon

Rhagair gan
Manon Steffan Ros

Cara

£8

Ydych chi wedi darllen cylchgrawn *Cara*?

Cylchgrawn gan fenywod am fenywod

3 rhifyn y flwyddyn
ar gael yn y siopau
neu drwy danysgrifio.

www.cara.cymru

Cara

www.cara.cymru